吸引家

ATTRACT ARTIST

如何快速追到心仪女生

潇 邦◎著

人 民 邮 电 出 版 社

北 京

图书在版编目（ＣＩＰ）数据

吸引家：如何快速追到心仪女生 / 潇邦著. -- 北京：
人民邮电出版社，2017.7 （2019.5重印）
ISBN 978-7-115-46158-2

Ⅰ．①吸… Ⅱ．①潇… Ⅲ．①恋爱－通俗读物 Ⅳ．
①C913.1-49

中国版本图书馆CIP数据核字(2017)第130236号

内 容 提 要

本书从"基于理论，结果导向"（Beyond Theories，Aim for Results）
的理念出发，为想要找女朋友的读者提供直接、有效的操作性指导与
帮助，使读者在提升生活价值和魅力的同时，运用建立在科学化理论
之上的吸引技巧，和异性积极互动，勾勒出"吸引家"成长路线图。本
书适合宅男、技术男和想要获得爱情、家庭幸福的人士，以及对两性
情感问题感兴趣的读者阅读。

◆ 著　　　　　潇　邦
　 责任编辑　赵　娟
　 执行编辑　冯　欣
　 责任印制　彭志环

◆ 人民邮电出版社出版发行　　北京市丰台区成寿寺街 11 号
　 邮编　100164　　电子邮件　315@ptpress.com.cn
　 网址　http://www.ptpress.com.cn
　 北京圣夫亚美印刷有限公司印刷

◆ 开本：880×1230　1/32
　 印张：6.75　　　　　　　　　2017 年 7 月第 1 版
　 字数：127 千字　　　　　　　2019 年 5 月北京第 2 次印刷

定价：49.00 元

读者服务热线：(010)81055488　印装质量热线：(010)81055316
反盗版热线：(010)81055315

RECOMMENDATION

人心巨测，有时你看不透；感情冷暖，有时你猜不到；缘分聚散，有时你握不住；世态炎凉，有时你想不通！本书不仅可以让你获得完美的爱情，更重要的是让你成为最后的赢家。

甲骨文股份有限公司阿联酋地区总裁刘泽平

这个世界并不只是"高富帅"和"白富美"的世界，平凡而真实的我们一样可以上演精彩的逆袭。你是否羡慕相貌平平的她如何能获得"男神"的青睐？你是否惊诧家境普通的他怎能得到"女神"的芳心？临渊羡鱼，不如退而结网，马上打开这本书，探索成为吸引家的秘密！

广东狮子会 2016—2017 年年度分区主席、
广州中其物业管理有限公司董事长林远操

人是社会人，存于社会中，难免波及人与人之间的情愫。从这个角度来看，若要掌握自己的人生，定要先行学会掌控自己情愫的缘起缘落。本书不单单教你获得本属于自己的恋情与爱情，其中的思维方式、对于事情的思考模式以及解决人际难题的方法，更对青年人掌控自己的未来与人生大有裨益。

广州大学创新创业学院院长张延平

情商，象牙塔内没教这门课，但是我们走进社会之后却必须拥有这个技能，学会了良好的与人打交道的技能之后，人生可以少走弯路！潇邦这本书呈现出了他的梦想与情怀！这是年轻人必读之书！赞！

广州市茂禾投资有限公司董事长、广东天使会副秘书长严秋秀

人生在世，就要让自己过得充实、活得精彩，不要在意他人的闲言碎语。只要自己坚定信念就要勇敢大步的地走下去，不要给自己留有后悔的机会。

I

本书教会你在情感方面不留遗憾的走法，你绝对值得一看！

《错错错》演唱者、歌手六哲

男人一定要看这本书！不仅教你如何捕获心仪女生，更可以打磨自己的气质；女人一定要看这本书，学会如何避免掉入吸引力"陷阱"，理性地找到陪伴自己一生的伴侣。

青葱新媒体创始人兼 CEO、直播易 APP 创始人桑今今

这是一本关于两性关系的百科全书；想在爱情中百战不殆，秘诀就在这里。

《不死镇的秘密》《末日游戏》导演源清嘉

恋爱是人生必经之路，更是人生美好的时光！学习成功之道和了解失败的原因同样重要。本书从多维度、多视角、多场景出发，分时间段地剖析与制定策略，方法论与实践相结合，从人性的角度给出落地的建议，给出真诚态度，给对方足够的信任，策略要人性化，这些就是本书的精髓所在。好风凭借力，送我上青云，想做一个有魅力的人？如何尽快变成一个有吸引力的人？一切答案尽在此书。

广州示云科技公司董事长、华南地区 EMBA 同学会会长唐伟新

以前，在感情的路上没有人能真的帮到你，别人的经历和文章也只是帮我们默默佐证一些想法，而这本书让我们看到了一条捷径，一条成为更好的自己、焕发吸引力、追到心仪女生捷径。

二更网络科技有限公司副总裁、二更学院院长徐雄洲

感情世界丰富多彩，本书从多维度帮你剖析。想要认真地谈场恋爱，想要找到恋爱秘诀，通过阅读你都可以得到答案。

上海微博名人汇理事长 三爷

这本书告诉我们：无论你的感情世界多复杂，无论你处于什么年龄，都可以寻觅到内心想要的答案。

一号生活总裁 谭小平

找到适合自己的另一半是所有人面临的最大的人生命题之一，你的另一半在很大程度上影响你以后的人生。潇邦从心理学与人性的角度带读者挖掘吸引力的根源，鼓励大家改变自己的不足，建立健全的人格魅力，提升吸引力，相信能帮你找到适合自己的另一半。

有米好天使基金发起人 刘臻

我们都忙于股票投资、房产投资、创业项目投资，但我们一直没有抓住人生最重要的投资，那就是婚姻投资。好的婚姻能让你的股票投资、房产投资、创业项目投资效果放大 1 万倍。学习本书，你就能快速掌握恋爱秘籍，快速掌握婚姻投资秘籍，本书值得你深入学习并推荐给你的好朋友。

中国企业社群营销第一人、《思维导图高手》
《社群营销高手》作者 张兵

如果你掌控了人生，那就一定掌控了自己的恋情；如果你无法掌控自己的恋情，就一定无法掌控自己的人生。这本书不单单教你掌控你的恋情爱情，其中的思维方式其实是在教你学会如何掌控一盘更大的游戏——人生。

"我走路带风"公众号创始人 菁风

创业后我才发现，一个人成功的关键，不在于他的专业能力有多强，

而在于他的圈子多大、综合能力多强。本书让我们学会如何与人接触，对扩大朋友圈有极大的帮助，甚至可以把它当作我们人际交往的实战助手。

编曲中国、多尔音乐学院创始人潇宇

作者用他敏锐的洞察力洞悉着男女关系，女生之所以会喜欢上与传统标准有悖的男生，答案就是吸引力。潇邦对这个答案做了深刻的剖析探讨。相信我，看完这本书，你会受益无穷。

"娱乐圈小天才"创始人熊琪琪

一个人能到达成功的彼岸，最需要的人格魅力是大度、自信、果敢、富有洞察力，他会拥有积极的影响力，感染着更多的人。很多人会觉得这本书是个完美约会神器，但我把这本书当成通向事业成功的工具书，只有提升自我的吸引力，提升自我魅力，才能拥有属于自己的成功。

润扬集团总裁陈扬

在这本书中我学会了如何表达自己，这本书为年轻人的成长提供了巨大的力量。

KOL"广州正嘢"博主王嘉盛

男生总是搞不懂女生想要什么，不明白她们到底对什么样的男生感兴趣，苦恼怎样才能追求到心仪的女生。当这些难题交织在一起时，常常会在情感生活里乱了阵脚，找不到方向。读了这本书，你就会豁然开朗。因为它就像一本感情版的《十万个为什么》，可以把你脑海中的谜团一个个解开，为你答疑解惑。这本书还是一本恋爱指南，在你的恋爱实践中为你"指点迷津"，教你如何举一反三！作者用通俗易懂的语言和丰富的生活实践经验告诉我们吸引力是何等重要，如何做到具有吸引力，如何训练吸引力，甚至具体到每个细节，称得上非常之详细的男生恋爱攻略了！如果你正为恋爱发愁苦恼，那么这本书你千万不能错过！

"娱乐圈小鬼"创始人李题

对于爱情来说，只有真正了解了对方，爱才会有滋生的机会。那么在了解的过程与相处之时，如何打造自己的吸引力，这就显得尤为重要，而本书恰恰解决了关于吸引力的问题。真正的爱情是不断增加的了解，不断往来的沟通。祝愿天下有情人终成眷属。

"剧透王"创始人熊思琪

恋爱的智慧需要学习，更需要训练，这本书无疑是一本非常棒的男女生恋爱指南，就像一本地图，告诉男女生正确的方向，值得推荐！

女性幸福自媒体"知了说"创始人知了飘飘

在我们成长的过程中，为了避免早恋，老师和家长不会教育我们如何跟异性相处，以至于我们只能从文学、影视作品中获得"二手"的感情经历，接受各种非真实的爱情观。到了可以放开谈恋爱的年纪，才发现那些"二手"经验根本派不上用场，但留给自己的时间已经不多了，盲目选择对象后匆匆地进入人生下一阶段，过程中屡屡碰壁。读本书的过程，就好像被一位老师翻着自己的感情经历记事本，做错的题目被老师——指出。相信本书能成为你感情教育方面的教科书，助你早日找到心仪的对象，过上幸福的生活。

"最耀 B"创始人璐蚕虫

会唱歌的人，不一定能教你唱好歌，情场高手，也不一定懂得如何教你成为恋爱达人，但潇邦可以。

跟潇邦认识5年有余，他给我的印象就是一个科学创业践行者，用实战总结理论、用理论指导实战，是一个专业、耐心、实在的教练；但他却又不像一个讲台之上的老师，更像一个你认识多年的热心而儒雅的"老铁"。他总能在随意的闲聊中，给我很多有价值的启发。

十年磨一剑，这本书延续了他一贯"科学方法，通俗道来，人人能懂"的风格特点，融汇了他在关系学、心理学、社会学等很多学科的思考与践行，最后熬成这本入口即化的吸引家宝典，任君偷练。

之所以说它是指导你经营两性关系的《孙子兵法》，是因为它自始至终强调的是教你如何修正自身，提升自身吸引力，让女生（甚至商业伙伴）自动追你，做到先胜而后战，不战而屈人之兵，而不是放倒一个算一个。通俗来说，前者是品牌营销，后者是低级推销。很明显，修正并提升自身"吸引力"的策略从投入产出来看，更划算、更具长期回报。而你则能筛选出真正适合你的真爱。

作为一个已婚人士，我依然惊喜地从这本书中得到很多意外收获。例如，如何在一段两性关系中达到制衡？内向者如何突破自己去搭讪？如何通过高价值展示塑造别人信任的形？不健谈的"宅男"如何像马云一样解锁口才魅力？……

总之，很荣幸收到好友潇邦这本诚意十足的书。也祝各位同样幸运的读者，在这个逐渐到来的"信用即实力"的时代，通过提升吸引力，塑造个人高价值品牌，经营好两性关系，爱情事业双丰收！

音乐人网、舞尚界、有用文化创始人罗晓然

你好，我是潇邦。

如果你希望成为歌手，你肯定会去音乐学院；想变成明星，你会去戏剧学校……同理，如果你希望吸引女生，就应该解开个人魅力的秘密。

没错，秘密就在这本书里。

在这里，我将帮助你在短时间内破解吸引女生的开关，找到成为吸引家的密码，即使你不高、不富、不帅……

作为男生，你肯定或多或少地在人生的某个阶段遇到过感情的挫折，曾经迷茫无助，不知所措，却根本不知道问题出在哪里。

你可能相信，缘分最终会为你带来爱情。当时间到了，那个独一无二的她自然会出现，一切都会自然地发展，所以你无需学习，无需改变。如果什么事情都没有发生，只不过是因为你们有缘无分罢了……

又或者，你相信吸引力是一种内在的特质，是与生俱来的，而你根本就没有，所以当你看到心仪女生爱上别的男生时，你只会失望和愤怒。更糟的情况就是你甚至根本没有想过什么是吸引力。

所以你总是会遇到这样的情况：你对某位女生感兴趣，并且迫不及待地把这种兴趣表达出来，但遗憾的是她却对你爱答不理。你以为你们没有缘分，所以不断地换对象表达自己的兴趣，然后又被拒绝……不断循环，始终无法收获爱情。

又或者你侥幸追求到了喜欢的女生，觉得自己像中了彩票一样幸运。你想尽一切办法逗她开心，尽你所能避免把关系搞砸，最后她却告诉你："你根本就给不了我想要的爱情，还是他更懂我！"留下受挫的你，完全不懂那个男生到底哪里吸引了她。

兄弟，和你们一样，我也曾经经历过这些问题、困惑、难堪、痛苦与选择……但是随着我对吸引学的系统学习，我才明白了缘由。

上面所有问题的根源其实只有两个：第一，你没有系统性地学习过如何和女生打交道，大部分男生对女生完全缺乏了解，所以根本不知道，原来，和女生打交道也有一套科学的方法，这套方法就像游戏里的通关宝典一样，得到者必胜；第二，你没有找到正确的方法提高自己的吸引力，所以你该思考的是如何改变提升自己，让你喜欢的女生喜欢上你。

那么能够吸引女生的男生，他们都具备哪些特点呢？他们往往拥有更优质的生活模式、更敏锐的社交直觉、更强大的感染力、更稳定的情绪和心态、更从容不迫的决策能力……

很明显，你现在还达不到这种水平，事实上很多男生都达不到这种水平，所以我才产生了写这本书的想法，我希望这本书能帮助更多像你这样的人，特别是那些想要通过自己的努力学习，一步一步地把握自己生活与爱情的兄弟。

这本书的内容十分丰富，有你在菜鸟蜕变成吸引家的路上所需要的一切知识。其中包括对吸引力的剖析，到底如何才能吸引女生；女生心海底针，我们该如何了解女生的内心；什么样的男生才是女生的心头爱；在不同社交场所结识女生的完美方法；无法深入沟通的解决之道；不知道该和女生聊什么话题的解决方法；突破友谊区的方法；明明约会了却不能深入交流的突破之法；在一起之后怎么长久地发展而不会轻易分手的方法；约会工具，如陌陌、世纪佳缘等的使用方法；如何更好地相亲，等等。

在这本书里，我会在"基于理论，结果导向"（Beyond Theories, Aim for Results）理念的指导下，为你们提供最简洁、直接、有效和最具操作性的教学与帮助。在强调生活价值和魅力提升的同时，运用建立在科学化理论之上的吸引技巧和异性互动。

这本书是我总结大量前人的经验，并结合自身经验勾勒出来的"吸引家成长路线图"。希望它能够在你成为"吸引家"的路途上，伴你见证每一个奇迹。

兄弟们，做好准备了么？

欢迎来到一个全新的世界，我在门的另一边等你！

爱你的，萧邦

CONTENS

CONTENS

ATTRACT ARTIS

I

■ 什么是吸引力

男人可以没有钱，可以不高，可以不帅，但绝对不能没有吸引力。当他具备了吸引力之后，才能战胜那些拥有外在条件的对手，追到心仪女生。

你什么都不缺，就缺吸引力

身边的朋友曾向我表达过这样的疑问："为什么自己老追求不到心仪的女生？女生们到底想要什么？"他得不到答案的原因很简单，因为他问错了问题！他应该问的不是"女生想要什么"，而是"女生到底会对什么样的男生感兴趣，会被什么样的男生吸引"。

如果你问身边的一个关系很好的女生："以后和你一辈子在一起的男生，你希望他身上具备什么条件？"

如果她够坦诚，那她的回答一定是："我希望他长得帅，家庭背景好，有车有房，对我好，老实忠厚，踏实可靠……"

以上的回答熟悉吗？这基本上是女生心中的理想伴侣形象。

但我相信另一个疑问也存在你的脑海中很久了，那就是"现实为什么不是这样"。

我们走在步行街上，会发现很多漂亮的女生手挽着一个长相一般的男生，这个男生看上去并不出众，但你却能明显看出这个女生对身旁男生的喜欢。

周围有很多这样的情况：女生很漂亮，但是她的男朋友，却并不是你想象中那么帅气、有钱、有地位，并且深入了解之后你会发现其男朋友在恋爱关系中还很强势！

兄弟，你是不是也想问：为什么女生现实中选择的男生和她口中所说的理想伴侣并不是同一种人？她为什么愿意和那些有明显缺点的男生在一起？

在这里我提出一个观点：女生口头想要的东西和真正吸引她的东西是不一样的，或者说女生真正需要的男生，事实上和她理想中的男生是不一样的。其实我早年研究这个学术话题时，也遇到了很多困难。这里就不得不提一下我的成长经历了。

我出身于农民家庭，很明显我不是"高富帅"。在以前，我的性格非常内向，不懂得如何与女生交往，所以我的过往恋爱都以惨痛收尾。当时我完全不了解吸引学的知识，只凭着自己的一腔热情，以为只要对女生好就能得到她的心，然而结果都十分残酷。我非常痛苦，因为我无法接受一辈子都遇不到自己喜欢的人，即使好不容易找到愿意和我在一起的女生，过不了多久，她就离开我，和其他男生在一起了。

于是，我下定决心，想努力找出一套方法，吸引自己喜欢的女生，让她彻底地爱上我。我要真正解决"吸引力"这个难题。

这的确不容易。我花了很多年学习进化心理学、社会心理学、社交动力学，我几乎看过所有关于两性情感的书，甚至听了某些所谓"爱情专家"的建议，为了了解女生，模仿女生的穿着打扮。我试过各种各样现在看来滑稽可笑的方法，但并没有什么实际效果。

我还发现，市面上绝大多数关于"约会"的书籍只讲了一些片面的内容，绝对不会告诉你如何系统性地对女生制造吸引。

在我的观念中，吸引力是一种非常强大的力量，它是一种情绪。一个男生可以没有钱，可以不高，可以不帅，但是绝对不能没有吸引力。因为当一个男生具备了吸引力，他就能战胜那些拥有外在条件的对手，追到心仪女生。

回到前面提到的例子：为什么那些长得不好、没有钱、不温柔的男生，能够追到心仪女生？原因就在于"吸引力"。所以你要改变错误的求偶观念，改正现在所有的错误行为，让女生发现你的吸引力，在女生内心深处中制造出一些情绪，让女生感觉她需要你，让女生感觉她不可自拔地迷恋上你，让女生感觉她离不开你。

没错，正如你所想的那样，我决定在这本书里，将我学习和研究出的成果分享给大家。吸引爱人、收获爱情的秘诀就在这里！希望你在这本书里面能够学习到你想要的知识，彻底摆脱以前的生活状态。

为什么你付出一切，她还是无法被感动

上一节我们已经了解了吸引力的来源，知道吸引力并不是"高富帅"独有的，吸引力是通过行为举止传递出来的，但你知道哪些吸引女生的方法是明显错误的吗？

一直以来我都在思考一个问题，那就是怎样才能和我真正喜欢的而不是勉强凑合的女生在一起。我发现，想要追到一个自己真正喜欢的女生并不简单。每次在生活中遇到一些比较优秀的、让我心动的女生，我都会想尽办法、花尽心思地追求她。

我会接近她，请她吃饭，给她买礼物，请她看电影，等等。目的都是为了讨好她，让她觉得我是不错的男生，然后成为我的女朋友。但是，最常见的结果是沦为了备胎。

单身的兄弟们总这么想：要追求女生，要对女生无限好，女生要什么都尽量满足，想尽一切办法逗她开心，坚持不断地追求，这样女生就能和我在一起了。

可是如果你观察身边高手的做法，就会发现其实恰恰相反。难道我们之前的观念与想法是错的吗？

我们先来看看这些观念是怎么形成的。在我们的成长过程中，不论是在学校还是家庭中，我们都被这样教育。

应该接近女生，追求女生。

要向女生展示我多么好，请她做我的女朋友。

不能让女生生气，不能把事情搞砸，不然可能会失去一切。

女生有权决定到底接受我还是不接受我。

如果女生不喜欢我，一定是我有问题，是我没做好。

有了这些想法之后，我们和女生相处的过程中就会展现出一种潜在信息：女生掌握主动权，我只是附属的，我就是为了逗你、哄你、捧你而存在着的。

当我们花了大量时间追求某个女生，她最后反而对我们说："我们还是做朋友吧，我觉得你是个不错的人，我不想失去你这个朋友，所以我们还是不要做情侣了。"没有学习过吸引学的我，也曾被打击过好几次。

你们有没有想过这个问题：为什么我们花了这么多时间、精力、金钱，女生竟然给出这样的答复？我们的行为究竟错在哪里了呢？

其实很简单，因为我们觉得这就是追求女生的方法，这就是和女生在一起必须经过的考验。我们下意识地认为，只要对女生好，女生就会回报我；只要请女生吃饭，女生就会喜欢上我；只要请女生看电影，女生就会觉得我是浪漫的男生，从而对我有好感；给女生送贵重的礼物，她们就会心存感激，然后从了我……

兄弟们，我们都错了，大错特错啊！

你做出了错误的假设，所以得到了错误的结果。为什么女生要和你一起吃饭？为什么女生吃了饭就得喜欢你？为什么女生和你看电影就得对你有好感？为什么女生收了礼物就会顺从你？你请她吃饭、看电影，她就得去吗？你买东西送给她，她就会要吗？

很多男生根本没有想过这个问题，当他们追不到女生，但是却发现自己越来越喜欢这个女生了，越陷越深，时间长了，就信了江湖上流传的这句话："谁认真，谁就输了；谁先动感情，谁就输了。"然后长叹一声："唉，我再也不相信爱情了！"

随着我的研究越来越深入，我发现了高手与普通人的区别：

普通人追求女生，而高手吸引女生！

这是一种从根本上的思维改变，彻底颠覆原来的思维吧！如果你的思维方式改变了，那么你的情感世界将会变得彻底不同。

为什么你这么努力，她还是不要你

最近很多朋友通过微信平台向我求助，问了很多情感方面的问题，其中有一类问题令我印象最深刻。

有个女生每次被男生伤害之后，就会找我倾诉，说那个男生如何不好，如何伤害了她，然后她眼睛红红的，让我心疼得不得了。我问她到底喜欢什么样的男生时，她说喜欢成熟的、稳重的、偶尔能哄自己开心的，在需要关心的时候能给她照顾的，等等。听到这里，我觉得自己符合条件，便趁机向她表白。可是，她又一如既往地不答应。

我相信这样的事情很多兄弟都经历过，至少我在没有学习吸引学之前也被几个女生这么拒绝过。

所以，我想问问各位朋友：为什么这个女生会向你抱怨男朋友的"劣迹"，而当你劝她看清对方，让她下决心离开时，她又不同意呢？还有，为什么那个男生那么"讨厌"，却能得到她？而你却只能像个"备胎"一样安慰她？她说的喜欢男生的类型，如成熟、能为自己付出等条件，真的是她的心声吗？

很明显不是，女生常常心口不一。

很多兄弟经常问女生："你喜欢什么样的男生？你觉得什么样的男生比较好？"试图通过这样的方式了解女生的喜好，然后根据这些"女生内心的秘密"来调整自己，达到吸引女生的目的。

这是错误的做法。

放眼你身边的女生和她们的男朋友，你就会发现，她们给出的答案和她们的选择经常是不匹配的，她们给出的答案都十分完美，但她们现实中的男朋友并非那么优秀，不一定事业有成，不一定有车有房，不一定高大威猛，不一定无限容忍女生的小毛病，不一定每天花时间陪女生……这是为什么呢？

我在网络上做过一个实验，让女生以匿名的方式填写一份问卷调查，内容就是她们对于男生的看法，以及喜欢男生以何种方式与她们相处。得出的答案令我大吃一惊！

女生内心对于感情需求其实是非常矛盾的。她口中所说，可能和她内心真正想要的不同，甚至完全相反。

喜欢男生霸道；

喜欢男生带领她；

喜欢男生叫她"小笨蛋"；

喜欢男生猛地把她推到墙角强吻她；

喜欢男生拿冰激凌喂她，放到她嘴巴边，突然又拿走；

喜欢赖在男生身上，男生却假装讨厌的样子。

……

而这些，她都不会告诉你！

当女生问你：你喜欢怎么样的女生？喜不喜欢漂亮的？喜不喜欢性感妖娆的？有几个男生敢当着女生的面承认内心的真正想法？

我们为什么不敢把这种内心的想法告诉别人呢？

我们非常清楚，不是所有的真话都会受到肯定，如果女生说喜欢依赖男生，就会被身边的人批评不够独立。

女生通常在心里把男生分普通男生、老公和情人三类。她们在日常生活中会将所有接触到的男生，下意识地划分类型，然后根据不同类型，采取相应的相处方式。

希望你们体会一下，女生口头所说的理想伴侣标准，即成熟的、能够无限包容自己缺点的、能给自己安全感的男生，是不可能与女生快速建立关系的。而快速与女生建立了关系的男生，却能够成为女生的男朋友。因为女生通常会尝试邀请这个男生做她的男朋友，只要男生同意。

这个时候的主动权就完全掌握在男生的手中了。

曾经有学员在微信上向我请教，说他在陌陌上认识了一个女生，这个女生很漂亮，他使用了我教的陌陌约见攻略，成功见面了。刚开始两人聊得很好，达到了一定程度的情绪吸引。但后来两人之间出现了问题，他说："吃了一次饭之后，我就向她表白了，让她做我的女朋友，她说我们之间做朋友更好。但是，她却又和以前一样，我发的信息，她每一条都回，打电话聊天，每次也都能聊20分钟左右，我感觉很开心，但是让她做我的女朋友，她却说要考虑一下。后来她就对我越来越冷淡了，发好几条短信，她才回复一次，有时候甚至都不接电话了。我很难过，不知道出了什么问题……"

男生在与女生的交往过程中，每当遇到问题，经常使用以下两种处理方式。

知难而退

你很喜欢某个女生，你追求，你表白，但是这个女生却对你说："我觉得你是个很好的人，但是我还没有准备好，我觉得太快了，我们彼此还不太了解对方，所以不能马上在一起。我们可以先做朋友试试，如果觉得适合就正式在一起，如果不适合就做朋友，这样也不会伤害彼此的感情。"

然后你想："嗯，好像挺有道理的，现在做恋人确实早了一点，那就先做朋友吧。只要我用心追求她，在这几个月之内对她好，为她付出，让她看得到我的真心实意，慢慢培养感情，就能和她在一起了。"于是你开始付诸行动，感天动地。

这种情况持续下去，慢慢地，你就会落入两种境地：一是被女生丢到友谊区；二是变成了一个"移动银行"或"备用劳力"。

女生在与男生相处的过程中，会有意无意地给男生做"废物测试"：如果男生通过了这个测试，就离她心里的期望近了一步；如果没有通过，女生就会给男生发张"好人卡"。

在女生的心里，"好人"的作用是很大的：自己不想做的、麻烦的、辛苦的事情，都可以让这个喜欢自己的"好人"做，他会任劳任怨地帮自己；心情不好了，感觉伤心难过，可以找"好人"倾诉，他会放下手头一切的工作听自己诉说 3 个小时；最近实在无聊得要发霉了，可以让这个喜欢自己的"好人"买个礼物，给自己的生活添点新意。嗯，"好人"的用处实在太多了，真是女生居家旅行、排解忧愁之必备良品啊！

女生没有被你吸引之前，你没办法找出她的真正需求，就不能根据她的需求提供价值，只能给予物质和时间上的付出，这是很急切的行为，一旦你着急了，就会失去分析判断的能力。

知难而进

这类男生知道女生说的每一句话的潜在意思，他们知道女生为什么口口声声说只做朋友，却每条短信必回；知道女生为什么对自己说了不做恋人，却每天晚上和自己聊电话超过 20 分钟；他们知道女生内心真正的想法，知道男生需要展现强势的一面，知道女生喜欢被带领；他们不会去轻易听信女生口头上所说的任何话语；他们会见机行事，抓住机会，步步推进。

很多人不懂，为什么女生要测试男生。在后面的文章中，我会详细解答这个问题。

当你感觉女生对自己有了一些好感，你们之间的氛围有点暧昧了，你想要让关系更进一步时，你问女生："我可以亲你吗？"你觉得女生会怎么回答？

女生是害羞的、被动的，她希望男生主动。你问可不可以亲她，她怎么回答？要是她回答"可以"，那么她可能是个非常大大咧咧的、不在乎世俗评价的女生，或者她是为了鼓励你突破心理那层厚厚的害羞情绪障碍，或者你对她已经产生了强烈的吸引力，这样她才有可能回答你"可以"。不然，你就等着被拒绝吧！

当时的情况可能是亲也行，不亲也行。她心里根本没有想过这个问题。如果你当时亲了，你们的关系就进了一步。而如果你问了她这句话，就让女生突然从感性的情绪状态转变为理性的情绪状态了。她就会思考：现在就让你亲的话会不会不好？认识的时间好像还不长，万一以后我们没有在一起怎么办？我会不会太随便了？

你的提问是在逼女生，逼她拒绝你。这是很多男生会犯的错误。与女生互动时，你要把沟通从理性方式转变为感性方式。

上两节总结了追女生的错误观念、行为等，肯定有朋友会问：到底什么才是吸引女生的正确方式？我怎么样才能不做"单身狗"？别着急，这本书接下来的内容就是教大家如何成为一个有吸引力的男生，帮助你获得女生欢心，走上幸福的人生大道！

ATTRACT ARTIS

II

「吸　引　家
如何快速追到心仪女生」

外部社交圈吸引

搭讪需要向陌生人介绍自己，这就要求我们重新认识自己，重新树立自己的形象，也重新认识他人，扩大社交圈就等于在逼着我们跳出自己的舒适圈。

全景式搭讪误区

我指导学员时曾经遇到过这样的情况。

第二天的课程是上街搭讪，我将手把手指导学生实战。有一个学员说他不想去，他说来上吸引学课程的目的不是为了搭讪陌生人，他只想吸引身边的某个人。我说："你明天先在一旁看看，不强求你搭讪。"第二天，他也跟过来了。

到了指定地点，大家开始完成自己的任务了，可是他磨磨蹭蹭就是不肯尝试。兄弟们都鼓励他："来都来了，就去试一下呗！"他磨蹭了好久，终于颤抖着走到一个女生面前，抬起手叫住对方，吞吞吐吐地说："你——你——你好。我——我想要你的手机号码，可——可以吗？"他表现出严重的焦虑，和女生互动时非常紧张，结果当然是以失败告终。

搭讪的核心目的不是为了拿到陌生女生的号码，而是一次锻炼机会，帮助你突破舒适区，让你更好地成长。

所以，搭讪的意义并非只是和女生搭个话、要个号码而已，还有下面几个重要意义。

搭讪的意义

克服你的焦虑感

人们在做一件从未尝试过的事情时，通常会产生恐惧和焦虑。

例子中这位搭讪失败的兄弟，他性格非常内向，不太习惯和陌生人说话。拒绝参加练习是一种焦虑和恐惧的表现，而他说的理由，则是一种自我防备。很多人害怕搭讪的时候被人拒绝，怕被拒绝后没有面子。

其实每个人在刚开始搭讪的时候都会有焦虑感，但是不断重复的搭讪练习会帮助你克服焦虑。当天在现场，我们所有导师和学员一起鼓励那位兄弟完成搭讪任务，逐渐熟悉之后，他慢慢克服了这种焦虑感，完成了任务。最终他对我说："真的十分感谢，如果没有你们的引导和鼓励，我一辈子都不可能做到这样的事情。"

帮助你跳出舒适区

每个人都有自己的舒适区，想要改变，就必须跳出舒适区。每当你到达一个全新的环境，为了消除这种不适感，你就要被迫接受和学习一些新的技能。

平常，我们大都和身边的朋友交往，所以处于非常自然舒适的状态，而搭讪时面对的多是陌生人，这就需要我们重新认识自己，重新树立自己的形象，也重新认识他人。社交圈的扩大就等于逼着我们跳出自己的舒适圈。这件事很难，所以建议你在练习搭讪的时候，和朋友或是老师一起进行，可以减少你的无措和紧张。

给你带来正能量

当你通过学到的吸引学技能，做到了你之前完全不敢想象的事，例如，在街上和一个陌生的美女搭讪，最后和她成为互相喜欢的一对。你想想，这是多么有成就感的事情！

我成功搭讪第一个女生的时候，是在我第 24 次练习搭讪时。当时我盯着对方，告诉自己这次一定能行，和对方聊了两句，发现两人兴趣相同，最后成功获得了对方的联系方式。在那之后，我再做其他尝试都非常有信心。

通过这样的搭讪练习，你身上将有可能产生巨大的改变，所以不用抗拒搭讪这一行为。

很多人内心喜欢搭讪，所以在商场或者学校里到处都能看到有人围追堵截："美女，能聊聊天吗？美女你是哪个班的？"换来的都是女生们的白眼。

他们失败的原因很明显，他们没有上过吸引学课程，没有掌握搭讪的正确方法，接下来我总结出了新手在搭讪时常犯的错误。如果能避开这些错误，搭讪成功率会大大提升。

新手常犯的搭讪错误

语速太快

当新手看到一个喜欢的女生时，因为紧张，满心想着要把他学过的搭讪开场白说出来，但不自觉地会把语速加快，而这种语速加快是自己很难意识到的。

很明显，如果你讲得太快，造成的结果可能是，你把你想说的话一股脑儿说完了。女生说："啊，你刚才说什么？能再说一遍吗？"或者转身就走。你可能会郁闷得吐血。

建议搭讪前要调整自己的呼吸，让情绪稳定下来，与陌生女生讲话时应该要用比平时聊天时更慢的语速，这样才有效果。

选错开场白

很多人爱用问路作为开场白，所以经常会出现下面这种情况。

学员："美女，请问×××怎么走啊？"

女生："哦，那里，往左拐，直走，再往右拐。"

学员："好的，谢谢……"

很明显这两个人已经无话可聊了，所以这种开场白是不可取的。并不是说它对所有的人都不适用，只是对于新手来说会比较难，因为很难转换话题。当话题转换不了的时候，要么你的话题会一直停留在开场白上，要么冷场，而硬转话题则会让对方察觉出你的需求感。

我们因此需要一个好的开场白。而好的开场白一般都是简单、直接、高效的，就像中国武术"快准狠"，搭讪也是一样的，我们要采用简单直接的开场白，在下一节我会教你。

话题只围绕女生

有些男生很聪明，知道围绕女生感兴趣的方面展开话题，例如，问女生喜欢什么。但容易出现的结果是无论女生说什么，你都只会一味附和，因为你对此缺乏了解，也无法和她交流，时间一长，女生就会感到厌倦。

所以，你真正要做的是从和女生的话题中找出连接自己的点。这样不仅可以让话题更自然顺畅，也能展现出你的高价值和主导权，更容易吸引女生。相反，如果你一直在话题中顺从对方，试图赢得对方的认可，就会暴露自己对对方的需求感。

容易被流言蜚语影响自信心

《穷爸爸富爸爸》这本书的作者罗伯特·清崎在刚开始创

业时把自己的想法告诉了身边的朋友，很多人劝他："你要创业？你不要这么做，你会失败的，你看那个和你情况差不多的人都失败了，另外那个人也失败了，你怎么能做好？去一家公司上班不是很好？轻轻松松的。"他反问那些人："你们创过业吗？"那些人表示没有。他又问："你们都没有创过业，怎么知道我不行呢？"

很多时候就是这样：当你想改变的时候，如果把想法告诉身边的人，很少有人鼓励你，他们甚至会站出来打击你。假如你不顾他们的说法，坚持这么做，成功了还好，也许只有少数人挖苦你："侥幸而已。"但如果你失败了，很多人马上会涌过来嘲笑你："你看，我说你不行吧，你还不听。"

所以，想要成为"吸引家"的兄弟们，一定要有一颗"大心脏"。因为当你想做任何一件事来改变自己现状的时候，原有圈子里的人大都会不理解你，因为大多数人觉得安全和舒适是最重要的，这时候你无需动摇，要对自己有信心！

希望大家能在学习完这章之后，明白搭讪这件事的意义，尽量避免一些新手容易犯的错误，在多次练习中不断提升自己的吸引力。一定要勤加练习哦！

固定场景搭讪，请收下我的套路

在一次线下活动的聚会上，碰到了我曾用微信指导过的一位学员，我记得那时他的性格十分积极外向，简直可以称为"交际草"了。

但是，聚会那天他显得非常拘谨，几乎没有和一个女生说过话，这让我感到很奇怪。我把他拉到一边细问原因，令我没想到的是，他说自己不适合这样的环境，觉得不能得心应手……

我给了他一些建议，给了他一把打开局面的"钥匙"，他很快就融入了环境，"交际草"本能让他如鱼得水，聚会还没结束，我就找不到他的身影了。

你是不是觉得很神奇或不可思议？其实我给他的建议都很简单，就是以下这些，你也一起学学吧！

KTV 里也有春天

KTV 是一个结识异性的好地方。这比你要在一个完全陌生的地方，如在马路上或地铁里认识一个女生方便多了。因为这里遇到的女生，大都是有一些共同好友或是共同爱好的女生。

前两年经常有朋友问我：如果在 KTV 聚会时喜欢上朋友带来的女生，怎么追？为了找到答案，有段时间，我经常出入 KTV 和朋友聚会。我发现在 KTV 里吸引异性，的确和在其他场所不同。

我总结出一套为 KTV 场所量身定做的全新方法，学员们在学习和运用过这些方法后都反映很好，现在我把这套方法的重要规则告诉你，希望你也一样成功。

第一印象很重要

当朋友把女生介绍给你时，给对方留下一个特别的第一印象是非常重要的。这不仅需要你在外表上多加注意，第一次打招呼也是十分重要的。

例如，朋友向你介绍女生："这是王小梅。"

你一看，呀，那么漂亮，你的脸一下子比西红柿还红，然后扭扭捏捏地说一句："你——好。"

这就完了，要知道聚会时人那么多，这么普通的回答肯定会被女生忽略。我的秘诀是不直接回答，而是和她开玩笑。

当朋友介绍说："这是王小梅。"

我说："嗯，我看你印堂发红，今天肯定会有好运气。"然后停顿几秒钟，"所以等会儿我们可以一起去买张彩票。"

在 KTV 不要只唱歌

一进入 KTV 包间，你会看到有人在唱歌，有人坐着玩手机，另外一群人在玩游戏和聊天。

很多兄弟认为歌唱得好就能吸引女生，其实这个概率比较低。我见过很多人会唱每一首歌，时时霸着麦，首首专业级。结果两小时下来，满头大汗，女生们却连他的名字都不知道。

而有些哥们一首歌都没唱，只陪着女生们玩游戏、聊天，最后和女生建立了比较好的联系，而那些唱到喉咙沙哑的，除了胖大海和金嗓子喉宝，一无所获。

这告诉我们：唱歌是个需要技术的娱乐活动，你不一定能表现好；其次，就算你唱得好，也很难找准女生对歌曲的喜好。还不如多花点时间，坐下来，和你喜欢的那个女生聊聊天。用我教的聊天技巧，一步步推进你和她的关系。这是个多么好的聊天场所啊，旁边还有一个"伴唱"制造气氛，女生会不自觉地觉得"他很傻，你很酷"。

总之，一味在女生面前飙歌，希望以此寻求女生对你的认可，让女生觉得你很厉害，这个想法是非常不可取的。

邀请她为你唱首歌

女生来到 KTV，不是为了听你唱歌，她在下面鼓掌，不是在听爱豆（idol）的演唱会！当然她也不是来 KTV 陪你聊天的，不然直接去咖啡厅或餐厅这类地方不是更好？

聊了一会儿后，你可以邀请她为你唱首歌。想想看，什么人才可以要求她做事情？爸爸、老师、男朋友、老公……你的邀请说明你假定自己是她的男朋友，这是一个心理暗示技巧。

她唱完后，你可以给她一些奖励，例如，你可以随手拿起桌上的水果或者零食，看着她说："唱得不错，来，嘴巴张开，这个是奖励你的。"

当然，我通常还会"耍"对方一下，当她嘴巴张开，我会直接把食物放在自己的嘴里，看到她撅着小嘴无辜地看着我。我可以乘机做个"肢体亲密度升级"，摸摸她的头说："好吧，看你为我唱得都气喘吁吁了……"然后再喂她吃。

不要黏着女生

在 KTV 里，我观察过很多男生，发现最终一无所获的男生都犯了同一个错误，就是一直黏着女生。女生走到哪里，他就跟到哪里，有时候女生受不了了，借去洗手间的机会回来换一个座位，他也屁颠屁颠地跑过去，总之一定要坐到女生旁边。

千万不要这样，这是很没有吸引力的行为。

放松点，女生从洗手间回来后换一个座位是很正常的事情，或许她只是在测试你是否会在意。建议你和身边的人继续聊天，并且要聊得自然和开心。等到大家的关注点都在你们这边时，她自然就会回来了。

道理很简单，因为坐在你身边的人一个个都笑得很开心，她是来寻找快乐的，你这里有快乐，所以她也会选择坐在你身边。

先和男生聊

在 KTV 里，你不能把关注点都放在女生身上，和男生也要处得很好。如果你能在一群人里，自然而然地照顾到每一个人，那你就是这个临时集体中的"老大"，说明你是一个具有掌控能力和领导力的男生。

当进入一个新场所时，我一般会先和男生们聊天，问问他们做什么职业，聊聊军事、体育这些他们感兴趣的话题。

千万别以为这时候接触不到女生，就可以随意表现，其实女生一直在观察，这是她们的本能，女生时时刻刻在观察谁总是在发起话题，谁是这个团队里的"领袖"，谁是自己较为满意的男生。

一旦你和在场所有的男生都聊得很好，你对女生的吸引力就已经形成了，再和女生互动就容易得多，毕竟你之前就已经给她们留下了深刻的印象。

你是主角

做到以上几点以后，你便在所有人心中留下了有吸引力的形象，所以很容易成为主角，这时候就会有女生要求你唱歌，甚至是全场所有人一起起哄，这时候你如果怂了，那就前功尽弃了！

我的建议是不要简单地按照别人的要求唱一首歌，也不要担心你的歌唱得好不好，因为在这个时候你唱得好听不好听一点儿也不重要，重要的是把握机会展示你自己。

点一首比较能带动气氛的歌，前半部分认真唱，剩下一部分你可以现场编，你可以把心仪女生的名字放到歌里，你可以现场调侃某个人，你可以邀请她们为你挥挥手，也可以邀请她们上来为你伴舞，你可以……你想怎样就怎样，因为在这个场所中，你是主角。

诗和远方不如身边的鱼塘

练习搭讪时，男生不要忽视身边的鱼塘——公司或学校，但是公司或学校，和酒吧、KTV包房等聚会场所是有区别的。

在酒吧里和女生搞砸了，或者出丑了，影响不是很大，因为如果不是刻意想要接触，聚会过后就很少有机会再碰到她。所以，在这些场所里，你可以做很直接的吸引。我甚至试过在酒吧里对一个陌生女生直接说"我喜欢你"。是的，这是我对她说的第一句话，用有魅力的肢体语言、声音和之前建立的社交地位吸引她。最后，我和她走到了一起。

当然，新手说这种话还是有风险的，她很可能直接泼你一脸冰水，所以不要轻易尝试。

而在 KTV 包房或者其他聚会场所中，在场的女生一般都是朋友的朋友，如果你和她搞僵了，即使你以后再也碰不到她本人，但也会影响你和朋友的友谊，所以顾忌会多一点。

对你的同事、同学或者在食堂碰到的女生，你需要顾忌得更多。太过直接的话，没几天工夫，你就在你公司或者学校出名了。

那么，在自己身边的小圈子中，怎么吸引女生呢？

你经常在同一个电梯或者同一个餐厅遇到隔壁公司的女孩，但还不认识，这种情况很多，也包括在学校食堂、图书馆等地常见到的女生，我们怎么认识她？

场景一

如果她们几个人一起吃饭，还聊得挺欢畅的，这种情况下，端着饭直接搭讪的难度是比较高的，需要很强的社交和控场能力。关键是，坐下之后千万不要直接表露自己对这个女孩的喜欢。

你的开场白一定要类似"看你们聊得挺欢，而且我正好也对你们的话题感兴趣，我是一个喜欢交朋友的人，刚好听到，想过来一起聊，顺便和大家交个朋友"，你可以根据当时的情境现场发挥。

还有一个更安全的方法，你先进入这群人里，和大家聊起来，反而不关注心仪的女生，或者很少关注她。先和大家交上朋友，熟悉起来之后，你自然就认识这个女孩了。

在这种人多的情况下，如果你贸然直接搭讪心仪的女生，即使她觉得你还不错，也有可能会婉拒你，因为她不想让同事朋友觉得自己是随便接受陌生男生的人。所以，先和大家混熟，再认识她，才是最安全的方法，起码保证你还有后续的机会。

场景二

另一种多人的情况就是你们各自都只有亲密的朋友在场。如果你们坐得很近，互相能听到对方说话，这时你有两个很好的机会可以搭讪。

一个机会是你听到她们正聊到某个话题，你可以给她们"提供价值"。例如，她说："天气预报说明天下雨。"另一个女生问："是吗？"这个时候你插话说："我刚查了天气预报，明天只有下午会下一阵小雨。"你向她们提供了价值。千万记住，你不能问"是吗？明天也下雨啊"，这就是索取价值。

另一个机会就是，你和同事聊一个很有意思的话题，最好是女生喜欢的话题，如情感类的、生活类的，而不是体育、军事等只有男生喜欢的话题。你们之间的聊天氛围一定要好，这样才能把她们的注意力吸引过来，等说到高潮的地方，你直接转过头问她们对这个问题的看法。

这两个机会是最安全、最简单的。要注意，你对她们说话的态度要像对朋友一样，不要显得太过在意紧张。

场景三

最理想的情况就是她独自一个人的时候，你可以主动搭讪，你可以一个人（最好是和朋友）借故坐到她身边，然后很自然地聊起来，不要说些莫名其妙或者讨巧的话，就正常聊天，可以直接用场景开场白引出话题。

举个例子，她买了牛肉饭，你还没买，你可以问她这牛肉饭味道怎么样，一般情况下，出于礼貌，女生都会回答你。那么，由于她已经回答过你了，那么你再问她问题，她就不会不理睬你了。你可以接着问："经常看到你，你是不是楼上那个公司的？"

这时，你有两个选择：一种方法是和她开玩笑，例如，假装误以为她是某公司的；另一种方法就是直接开始聊，例如，你问："最近金融危机对你们影响大吗？我上次看到你们老板在门口叹气。"

这种搭讪方法失败的可能性比较小，能很快建立起信任，所以不需要太过紧张。如果还是没有信心，可以先练习和陌生人搭讪，然后再去和喜欢的女生说话。

半固定场景搭讪，让心仪的她为你停留

去哪儿找她

　　上一节讲的是在固定场景中的搭讪，也就是两个人所处的环境都是固定的，这一节要讲的是半固定场所搭讪。

　　什么是半固定场所？半固定场所分两种情况。**第一种是对方固定，而你不固定。**她在某个固定场所上班，而你是顾客。例如，她是护士、售楼部的导购、商场的前台、超市收银员、咖啡厅老板等。**第二种是双方都不固定，只是停留。**例如，傍晚大家会在公园或者河边散步休息，或是周末花两个小时去电影院或酒吧，这些地方属于双方不固定但都会有一些停留的地方。

　　我的朋友就遇到了这种情况，他喜欢上一个保险推销员，但不知道如何搭讪，更不敢要电话号码。他向我求助，我给他提供了行动方案。一个月之后他就和那个女生在一起了，最近要结婚了，还给我们寄来了喜糖。

其实我教他的行动方案十分简单，可以简单分为 4 个步骤。

多制造偶遇

在心仪女生的工作场所多出现，买买东西，去那里转转，保证你在她面前的曝光率。在前两次"偶遇"她的时候，不要直接要联系方式，这样很容易暴露你的企图。如果目的性太明显，后面就很难继续了。因为是半固定场所，所以她一般都不会离开这个场所，只要你去，她都会在，所以我们可以把建立吸引的时间拉长一点。

留下印象

你可以通过行为或交谈方式来给她留下特殊的印象。例如，你在健身房喜欢上了前台女生，但是每次接触都只是健身时递给她健身卡，走的时候再拿健身卡而已，匆匆而过，这时候你应该怎么做呢？

分享一个很管用的妙招！

让你的一个女性朋友在你健身时，把一件你的物品拿到前台，让前台女生转交给你。当你健身完毕准备走的时候，前台女生肯定会对你说："男士，刚刚有一位女士给你留了一件东西。"

这样就能给前台女生释放一种"预选"的能量，你的女生朋友越漂亮，这个预选的能量越大。她会想，这个男生不错，竟然有女生来健身房给他送东西。这样你就给她留下足够特别的印象。

拿走东西的时候，你就可以跟前台女生搭话了。这时你会发现，释放了预选能量之后，跟她聊天会变得容易很多。

要联系方式

因为你们已经见面三次以上了，其实凡是和一个女生接触三次以上，就可以要联系方式了。

因为你们已经有了前两次的谈话作为铺垫，算半个朋友了，而这个时候你问她要联系方式就不会显得太唐突。当然，不能直接冲到她面前问她号码，而是要通过谈话引导。

最好是使用**"思维风暴聊天法"**，先挖掘出一个她和你相近的共同喜好，然后让她留下联系方式，以便继续深入探讨这个喜好。

深入聊天

要记住，尽量不要聊关于工作的事情，也就是你一定要解除她的工作状态，这是最重要的一个原则。

前面提到的那个学员，在要到美女保险员的电话后，每次通电话，那个美女就问他什么时候买保险，他以为这样可以增进感情，就一直在和她探讨保险的事情。几次之后，他也觉得不对劲了，试图把话题引到其他方面，可是这个时候换话题就显得太唐突了，并且让那个女生产生了被欺骗的感觉，两个人闹得非常不愉快，后来在我们的帮助下才挽回成功。

请注意，在聊天的时候，要尽快解除她的工作状态。因为如果一直聊工作的话，她会产生一种思维惯性，就会一直想要做成这笔交易，这对你们的感情发展非常不利。

怎么解除她的工作状态呢？**调侃，然后顺势转移话题。**要到她的联系方式后，你可以在晚上七八点打电话给她，假如她还是和你聊工作，你可以调侃："都下班啦，你还和我聊工作，也太敬业了吧，这个我得好好跟你老板说一下，让他给你加薪。"以这样的方式调侃，然后再转移到其他话题上。

例如，你在医院里面认识了一个护士，出现在她身边，"偶遇"三次，聊了几句之后，她还是跟你讲医院里的事，你就可以说："你们医院太大啦，你有没有地图或者导航什么的让我看一下，我这人一到了医院就会迷路。"她说："不会啊，我们医院不大啊。"你就可以说："可能是因为我从小看到穿白大褂的人或者到了医院这种氛围的时候，心里就发慌，所以我的方向感就迷失了，哈哈，你见过会晕血的男生吗，那就是我。"然后你就可以把话题引到其他方面，这样就解除她的工作状态啦。

作业

　　你身边肯定有这种半固定的场所，赶快行动，用一下今天学到的技巧吧！

非固定场所搭讪，各式各样开场白总有一款适合你

前面几节讲的是固定和半固定场所的搭讪，这一节讲非固定场所的搭讪，即双方都不固定，这一技巧你在任何场所都可以灵活运用。

俗话说"万事开头难"，搭讪最难的就是开场了，所以首先给大家分享几种不同的开场白。开场白要根据是单独搭讪还是团体搭讪来定。

单独搭讪

单独搭讪时，常用的开场白分为直接开场白、情景开场白和间接开场白3种。

直接开场白

什么是直接开场白？就是直接对喜欢的女生说："你好，我想认识你，因为……，所以……"

处于快速移动的场所中，如街道上、商场中时，建议使用直接开场白。因为你并不知道女生会在这个地方停留多久，也无法确定以后还能不能再遇到她。在这种快速移动的场所，如果你思考很久，绕半天都绕不到正题，女生早就走了。建议你直走过去，把她拦住，直接进入正题。

这里我给大家分享一段非常简单的开场白，可以直接运用。

"你好，耽误你1分钟的时间，你刚刚从我身边经过，我觉得你很特别，所以我特地来和你打个招呼。因为如果我不和你打招呼，我以后会感到遗憾的。"

来分析一下这段开场白。

"你好，耽误你1分钟的时间。"为什么说1分钟呢？你想，一个女生在大街上正走着路，突然有个人走上来对她说话，她第一反应肯定会想：这个人要和我说多久？特别是当她有急事或者忙着去某地时，她就会特别在意将被耽误多少时间。

在说出想要对女生说的话之前，首先要解除她心里的顾虑：我不会要打扰你很久，只需要1分钟。听完这句话，她才可能会放下心继续听你下面说的话。

为什么要说"我觉得你很特别"呢？很多人喜欢夸女生"很漂亮、很可爱"。这种夸奖太过敷衍和不走心，用得不好反而会引起女生的反感。夸奖女生尽量不要用"漂亮""可爱"等空泛的词语。她要么觉得你很虚伪，要么觉得你和别人一样普通，自然也就不把你放在心里了。

所以我们用"特别"这个词，一般听到这个词，女生心里就会想："特别？我哪里特别呢？"她的心中产生了一个疑问，这样她就有兴趣和你聊下去，那么你的开场白就是成功的。

这个开场白首先加了一个假性时间限制：只有1分钟，解除了女生被陌生男生拦截下来的心理障碍；其次，用了"特别"这个词，避免了空泛的赞语，同时勾起了她的兴趣，让她想要继续和你交流。

再强调一次，直接开场白针对不固定的场所，如在你来我往的街道上。

情景开场白

什么是情景开场白呢？就是根据当时的具体情境，挑选当下最有可能展开讨论的话题进行沟通交流。《爱在黎明破晓前》中的男主角就是利用车厢中的争吵成功搭讪女主角的。

身边有特别的事情发生时，是最适合情景开场白的切入时间。例如，前面一堆人都挤在一起或正在排队，你就可以问女生："你知道前面发生什么事了吗？他们在看什么呀？怎么这么热闹？"

间接开场白

间接开场白就是用一个随机的、有趣的话题和女生交流，这个话题可能和当下的环境，甚至与你喜欢的女生本身都没有关系。

一个好的间接开场白应该具有**即兴、好奇和有趣** 3 个特征。

间接开场白的话题范围可以十分丰富，既可以是两性关系的争议性话题，也可以是关于流行文化、旅行、健康或社会风俗的话题。

例如，某天我和朋友争论：在商场买衣服好，还是在网上买衣服好？我们讨论完之后，我就把它作为当天晚上的开场白："嗨，你好，有个问题想要请教你一下，你觉得买衣服是在网上买比较好，还是和朋友去逛街买比较好？我一直不清楚女生是怎么看这个问题的。"

这看起来有些无厘头，但每次都能成功地展开对话。

团体搭讪

团体搭讪，即搭讪的时候你是和朋友在一起的。团体搭讪的好处很多：首先，你可以使用形式多样的开场白；其次，你搭讪前，大家会给你打气鼓励；最后，你的同伴们可以帮你把团队里的其他人控制住，使你可以专心地和心仪女生聊天。

接下来，我给大家提供两种团体搭讪的方法，记熟之后可以直接使用。

害羞好朋友开场白

"嗨，你好，能耽误你1分钟吗？刚才你经过这里时，我的朋友觉得你很特别，想要认识你。但是他比较害羞，所以让我和你聊聊，能留一下你的联系方式吗？"

"害羞好朋友开场白"的流程是假装你的朋友想认识她，但其实你才是那个想要搭讪的人。这样做可以把搭讪的压力和焦虑感转移到一个虚无的朋友身上去，你的焦虑感就会降低。再者，因为你名义上是为了你的朋友搭讪，女生就不会太过抗拒。

障碍开场白

障碍开场白针对的不是一个人，而且一个群体，也就是女生身边还有其他朋友。你在搭讪时，不要先和心仪的女生说话，而是和她身边的其他人说话。

"嗨，你们好，我只有1分钟的时间，我的朋友还在那边等我。我非常想认识你的朋友（指一下目标），我可以和她聊聊吗？"

等她朋友点头同意，你就可以转身面对你要搭讪的心仪女生，使用刚刚的"害羞好朋友开场白"了。

看到这里，你心里可能会有一些疑问：我们为什么要对心仪女生的朋友们开场而不是直接对她开场呢？试想一下，如果我们和朋友一起遇到一个陌生人，那个陌生人只和自己的朋友说话而不搭理自己，你是不是心里会有一种被忽略的感觉？等以后再说起那个忽略你的人时，你会对他有好印象吗？肯定没有！

所以在搭讪时，如果你从头到尾只和你的心仪女生说话，完全忽视她的朋友，等你走了后，她的闺蜜肯定不会帮你说好话。哪怕你当时给心仪女生留下了很好的印象，只要她的朋友说一两句你的坏话，你就基本出局了。

前面提到的两个开场白都是"利用"朋友的，其实此时"朋友"就相当于你的道具，口头说是"朋友"想认识那个女生，目的就是让女生感觉不到你强烈的需求感，减少自己的焦虑。

简单总结一下，一次好的搭讪应该具备以下 4 个特点。

第一，假性时间限制。在搭讪开始之前要给女生一个时间限制，表明你并不会耽误她很久。

第二，对焦虑的控制。搭讪时每个人都或多或少会产生一些焦虑感，如果你实在无法控制，可以"利用"自己的朋友，将焦虑转移出去。

第三，需求感的降低。除非是在快速移动的场所，尽量不要直接暴露自己对女生的需求感。不仅是语言，肢体也是一样的。

第四，合理的、必需的连接。可以通过一件事情来连接双方，如发掘两人的共同喜好，然后以此对她发出模糊邀约，这时就可以要她的联系方式了。

　　搭讪的方法已经讲完了，但这并不代表你马上就会用了，你还需要多加练习。在搭讪时，新手很难完整地说出一段开场白，所以我们可以分步骤进行。

　　第一步，你看到任何一个女生都直接上前，你只要对她说"你好，我想认识你"就可以了。这一步的目的是让你在搭讪过程中感受女生的态度，然后你就会发现搭讪并没有那么可怕，这会给你强大的信心。

　　搭讪了5个女生之后，你就可以开始第二步了，第二步要说的话是"你好，能耽误你1分钟吗？我想认识你"。一定要加上假性时间限制。

　　第三步，完整地把开场白说出来。

　　一步一步按部就班地练习，你很快就可以向喜欢的女生表白了。

　　加油兄弟！

ATTRACT ARTIS

III

内部社交圈吸引

想要成为"吸引家"，一定要有一个强大的心态。当你想做任何一件事以改变现状时，你原有的圈子里的人都会不理解，他们觉得安逸和舒适是最重要的，这时候你无需动摇，要对自己有信心。

思维风暴聊天法，聊到停不下来

开场白大家都已经了解了，那么打开了话匣子之后该如何继续聊下去呢？别着急，这一章就要和大家分享一个沟通方法——思维风暴法。

分享一个学员的案例，有位学员住的小区里有很多人养狗，他也养狗，某天遛狗时巧遇心仪的女生，终于鼓起勇气打了招呼。

学员："嘿，你这只狗是什么品种啊？"

女生："是杜宾，前几天我朋友送我的，你的呢？"

学员："腊肠，现在喜欢腊肠狗的人挺多。"

女生："是啊，狗狗最好玩了。"

学员："你这只狗多大了？"

女生："大概 3 个月左右。"

学员："你喂狗吃什么？"

女生："呃……吃狗粮。"

学员："那你买什么牌子的狗粮给它吃呢？"

女生："不好意思，我要先回去了，下次再聊吧。"

这段对话的硬伤很明显，他使用狗的话题跟女生搭讪，但却不能很好地让对话继续，所以聊来聊去都是狗。

说到女生最反感的聊天方式，应该就是查户口了，但奇怪的是，男生们特别热衷于这种方式，一和女生聊天，就开始不停提问："你叫什么名字？你上班累不累？你在做什么？你是哪里人……"这种问题让女生怎能耐心回答？

你为什么只会"查户口"

出现这种状况的原因其实很简单，当男生与陌生女生聊天时，两个人之间本来没有太多的共同话题，但是他又不想冷场，所以就开始拼命找话题，问来问去，就变成查户口了……

很多男生会问我："怎样才能和女生更好地聊下去呢？"

其实在学习吸引学之前我也是这样，每一次与心仪女生聊天就紧张得要死，一句话都说不出，可是当我回到朋友们身边时，就又变得谈笑风生，绝不会语无伦次。

这是为什么呢？我们能不能在与女生聊天时也像和朋友讲话时一样轻松自如呢？

随着学习的深入，我发现了其中的奥秘：我太在乎她了，所以和她互动的时候，会试图通过对话把对方留住，试图通过语言让她对我产生好感。这种想法给了我们很大的压力，在这么大的压力之下，我们的心理状态就会表现在行为和语言上。

建议你与女生聊天的时候，把自己的心态调整好，放松、平静，再和女生互动。

要调整好心态，先来分析一下为什么和女生聊不下去。

生活没有太多交集，彼此又不了解，没有共同话题。

脑袋里想好了很多可以说的话，但太紧张影响了发挥。

今天，我会帮你彻底解决这个问题，让你和女生聊天的时候话题不断，绝对不会出现冷场的状况，而且能够单纯靠语言俘获一个女生的心。这个方法被我称为"思维风暴聊天法"。

在学习"思维风暴聊天法"之前，我们要先了解什么是"思维风暴"。

思维风暴经常被运用在企业或课堂上：**首先要确定一个主题，也就是你要解决的问题是什么；然后根据这个主题发散自己的思维，把你联想到的任何话题、任何想法都记录下来，不论对错；然后对联想到的所有的话题进行更进一步的发散；最后分析汇总，得出结果。**这一过程叫"思维风暴"。

明白了"思维风暴"的含义，我们来看如何将它应用在聊天中。

思维风暴聊天法第一层：抓住女生话语中的任意主题，发散出去

例如，话题是"看书"，你需要根据"看书"这个主题发散思维。

看到"看书"这个词语你能联想到什么？可以是书籍，可以是作者，可以是椅子，可以是看书的姿势，可以是房子，可以是唱歌，可以是画画。在发散的过程中，没有对与错。为什么我通过"看书"能联想到"画画"，离谱吗？其实我的思路是这样的：我妹妹是学画画的，每次我在看书的时候，她都在旁边画画。所以我一想起看书，就会想起画画。

假如主题是"轮船"，通过发散思维你能想到什么？我会想到海洋、沙滩、飞机、天空、海鸥、蓝色、公交车等。

这是思维风暴的第一级，把"一级主题"平行展开，拓展思维，就可以发展出各式各样的相关话题。

举个生活中的例子。

女生说："我今天上班好累啊，烦死了。"

我们来分析这句话里面的关键词：我、今天、上班、好累、烦，这些词可以任意选一个。

你说："是吗，我上班也好累，看来咱们两个同病相怜啊。"

这里你抓住"好累"或者"上班好累"作为一级主题。

当然，你也可以用其他的如"上班"作为一级主题，然后讲一

些关于上班的事情。

女生会对你产生好奇，然后问："为什么同病相怜呀，你上班为什么累啊？"

你说："今天我们老板不知道怎么了，对着我们所有人大发雷霆，让我们加了两小时班，烦死了。"

你说的这句话也提供了好几个主题，能够与女生的话题对接。例如，话题中有"老板""无缘无故发脾气""加班"还有情绪的宣泄"烦死了"。

女生只要随便继续其中任何一个主题，对话就可以持续下去了。

她会产生一些情绪上的共鸣："我们的老板也经常这样，无缘无故让加班，工资也不多发，很多员工都有怨言，真不知道该怎么办。"

这就是思维风暴的第一步，抓住对方话语中的任意主题，然后发散出去。

我们可以在 QQ、微信、陌陌上和女生练习这个聊天方式，因为在社交软件上，你拥有足够的时间分析思考以哪个点作为你的一级主题进行发散最好。这样能够避免刚开始练习时因不够熟悉而产生的尴尬。

思维风暴聊天法第二层：细化二级主题

当你成功地发散出一个对方感兴趣的主题之后，要根据这个发散出来的"二级主题"继续延伸,把"二级主题"进行细化。

回到刚才的例子。

女生:"你上班为什么也累啊?"

你:"老板无缘无故刁难我们。"

女生:"是啊是啊,我们的老板也这样刁难我们,每天让我们加班,故意让我们难堪!"

很明显,女生对这个主题感兴趣,那么你就可以通过这个主题继续延伸。

你:"你们老板怎么刁难你们的?"

女生:"他总是说我们做事不够认真。"

你:"他为什么会说你马虎呢?我感觉你这个人平时挺严谨的。"

女生:"就是因为平时要输入非常多的文案,多多少少会有错别字。有错别字也正常啊,我们打字不可能百分之百正确,你看金庸小说的文字也不是百分之百正确,也有错误啊。"

这样,我们就能在延伸主题的过程了解对方话语中有用的信息。例如,女生觉得老板故意为难她,可是你不知道原因。通过主题延伸之后,你就知道老板为什么为难她、在什么地方为难她、她的感觉如何。

这里有一点我们要注意,在使用深化主题的技巧之前,一定要充分使用好上一个技巧。由于你也不确定,女生会对哪个话题感兴趣,所以你一定要准备足够多的主题,而且必须要找到女生感兴趣的主题才能继续下去。

就像我前面说的例子，男生聊狗，女生也跟他聊狗，但是狗的话题聊着聊着就无法继续下去了。如果这时候男生还没意识到要转主题，仍用这个主题与对方聊天，就会出现话题的中断。这时候，我们要主动切换二级主题。

在聊天的过程中，我们要搭建很多一级主题，以备随时切换二级主题。当你发现当下的主题已经没有办法发展下去，或者情况不太好、女生感到无聊的时候，你就要主动地结束话题，不要再继续说下去了。

例如，你们在聊音乐时，你发现对方对音乐主题感兴趣，就要不断寻找二级主题，例如，当你们聊到周杰伦的歌曲时，你发现她对周杰伦也非常感兴趣。女生说："每次听到周杰伦的《发如雪》，我都会想起前男友。"这个时候，如果再继续和女生说下去，你们之间的对话就会朝着不利的方向发展。她可能会想起她的前男友，甚至会怀念前男友。

这个时候，你可以直接用新的话题来取代当下的话题。当然，打断别人说话时一定要有礼貌。

另外，当有外来干扰时，你也必须主动切断当下的话题，然后开始一个新的主题。

还是上面的例子，你正和女生火热地聊着天，你说："对啊对啊，我也赞同，现在打工者实在太不容易了，我们每次都得不到老板的欣赏。"突然这个时候她的朋友到场了，这时你就可以说："这个是你朋友吧，你要介绍一下哦。"

介绍之后，你就可以和她的朋友说话："我觉得你长得特别友善，很像我之前的一个朋友，她是我在外国留学时一起毕业的。"这时你主动地把"抱怨老板"的话题切断，引入新的话题。除非那个女生要求，不然就不要主动回到原来那个话题。

你掌握了二级主题、主题分支、深化的技巧，然后再掌握了如何主动切断不好的二级主题的能力之后，你就能够带领互动的节奏，绝对不会让人感觉无聊。

思维风暴聊天法第三层：与对方的情绪产生共鸣并进行引导

为了与对方建立一致的氛围与情绪的共鸣，**我们需要用含义更广的语句暗示双方的共同性，建立接受对方与允许对方引导的信任感，然后把对方带到一个新的层次。**

举几个简单的例子：假设聊天的主题是"旅游"，在第一二层次，可以聊一些旅游方式、购物等，但如果是第三层次，就要上升到旅行的意义了。例如，旅游可以放松自己、消除疲劳，旅游可以增长见识、感悟人生。

简单来说，第三个层次就是将你当下所说的主题进行提炼、升华，从思想高度概括当下的话题，凝练地总结这个话题的意义。

　　这种语言模式是由催眠大师米尔顿的名字命名的。他最擅长的催眠语言就是这种模式：**让事物一级一级地向上变得抽象虚化，目的就是扩大这个主题影响的范围，达到与对方的情绪产生共鸣的效果，引导对方，让对方跟着他的情绪走。**

　　我们来看一个与女生互动的例子。

　　女生："今天上课好累啊！"

　　男生："我也是啊，最近非常累。有人做过调查，85%的学生平均每周有3天的时间觉得上课非常累。"

　　女生："那我一定超过3天。"

　　男生："何以见得？"

　　女生："这些天我压力太大了，每天一上课我就觉得好累。"

　　男生："看你憔悴的样子就能知道了。是因为你之前没有认真上课导致落下了很多课程，还是你学习的这门课程确实非常难，所以才让你临近考试这么累？"

　　女生："对啊，我之前经常不认真听课，干了很多其他的事情，现在临近考试了，需要补很多之前没有认真听的知识，信息量太大了，所以非常累。"

　　男生："对啊，现在很多大学生都是这样的，刚开始学习的那段时间不认真听课，到了临近考试才开始追赶前面落下的课程，就像一群小蜜蜂到了那个时候才开始工作。"

　　女生："是啊是啊，现在觉得挺后悔的，应该专心听课的。"

男生："有时候我在想，如果学习不是应付最后的考试，而是把自己专业上的技能拿到外面进行实践该多好，那我们就能学到更多的社会经验。你也不要太难过、太担心，只要坚持这段时间，以后就可以过得更加轻松，你说是吗？"

女生："嗯嗯，感觉跟你聊天真好。"

现在我们来分析这段对话：女生第一句话"我今天上课好累"，我们选取了"累"这个主题。

所以回答说："我也是啊，最近非常累。"但如果只是说累，就没有办法继续聊下去，所以还有后半句："有人做过调查，85%的学生平均每周有3天的时间觉得上课非常累。"也就是发散"累"的主题。

女生的回答是"那我一定超过3天"。这是非常自然的回答方式，你可以继续探索她到底为什么感觉累。这时候就要用第二层次的思维：缩小范围。可以通过直接提问得到你想要的答案。

女生回答是因为压力，但这一答案还不够细，所以需要继续细化："是因为你之前没有认真上课导致落下了很多课程，还是你学习的这门课程确实非常难，所以才让你临近考试这么累？"

女生说因为她之前落下的课程太多了，现在快要考试了，所以现在要拼命地补回来才能考过。其实这个时候女生已经对你打开了心扉，你们俩之间的关系已经升了一级，因为她把导致她累的真正原因告诉你了。

然后你说，每个人都必须面对这些，只有克服当下的这些困难，以后才会有更好的生活，才会更加轻松。这一番对话，引导她获得了积极的、正面的、向上的情绪。

思维风暴第三层次的核心是归纳总结她或你的话语，提炼出一个更高层次的、正面的情绪，通过这种情绪和女生产生共鸣，引导对方。例如，女生告诉你："我现在心情很糟。"这个时候你说："哦，别难过了，我陪你出去走走吧。"

这样行吗？这绝对不行，因为你不了解她为什么难过。这里只有一级主题，你没有使用第二层次思维，没有用镊子把她情绪中点点滴滴的信息摘取出来。

你不知道对方为什么难过，第二层次思维尚且没有使用，更别说使用第三个层次了，所以女生无法和你产生情感上的联系，更不可能因此对你产生好感。

在使用第三层次之前，你一定要把前两个层次的技能学习好，学会随时切换大量的相关主题，快速分析对方的情绪点。找到正确的原因之后，再表达自己的切身感受：你也经历过这类事情。然后再把这种感受提炼出来，用语言向女生表达，用升华的感情引导她进行正面的思考。通过这样一套方法，女生才能产生和你心灵相通的感觉，才会被你吸引，甚至爱上你。

这个方法对于刚开始学习的人来说还是比较困难的，所以一定要多实践。在刚开始学习的时候，你可以在 QQ、微信上找熟悉的女生朋友，尝试着用任何话题和她聊天，主动使用"思维风暴"的第一二三层次思维。用不了多久，你的语言就可以变得非常凝练精彩。

最后总结一下思维风暴聊天法的 3 个层次：

第一层次，提取对方话题作为你的一级主题，然后发散出许许多多的二级主题；

第二层次，细化、深化她感兴趣的话题，如果在这个过程中发现对方并不感兴趣，就要主动切断话题，换一个主题继续；

第三层次，与对方产生情绪上的共鸣，引导对方总结一个积极的方向，带给女生一个正面的想法和思维。

作业 1

跟 3～5 个不太熟的人现场闲聊。

性别、年龄、态度是否友好都不重要。目标只是开启对话而已，在和这些人的聊天过程中，你主动使用思维风暴聊天法的第一二层次思维的技能，努力和他们聊 3～5 分钟。

边想边聊都没关系，目的就是练习。

当你能够与身边的任何一个人聊天 15 分钟左右时，那么你已经成功掌握这个技能了。

以下是几个常用的聊天主题，你可以参考。

天气："今天天气真好，可惜我们还要待在这里上班。"

运动："你昨晚看了那场比赛没有？我真不敢相信！"

时事："你有没有听说××？他们接下来想干吗？"

娱乐："你有没有看过××的新片，不知道好不好看？"

作业 2

和 3 个身边不太熟的人用思维风暴聊天法聊天。

若没有掌握前两个层次使用方法，继续练习前两个层次。

已经掌握前两个层次技术，则按照方法练习第三个层次，归纳总结对方的情绪，然后进行引导。

建议每天可以和不同的女生聊天 1～2 个小时，通过这种练习，只需 1 个月，你就能完全掌握思维风暴聊天法。以后遇到女生再也不用担心不会聊天了。

三分聊天术

我有一个律师朋友，每次女生问他的职业时，他都只是简单地说"我是律师"。这让人感觉他很呆板、没情调，女生不怎么喜欢与他交流。

后来，我总结了身份展示的相关技巧，给他提供了一个回答模板，这个模块既没有那么死板，又可以很好地把话题延续下去，而且有提供价值的感觉。

"以前我喜欢武侠小说，幻想着以后能够成为一位大侠，行侠仗义、帮助他人。可是，后来我意识到这在现实生活中并不靠谱。之后我一直寻找与大侠这一形象相近的职业，发现律师特别符合这个目标。所以在高考过后，我毅然决然地选择了法律这一专业，并很幸运地以法律系研究生的身份毕业。在这些年的工作中，我通过所学的知识帮助了很多人。"

在这短短的一分钟的回答里，他把自己小时候的愿望、人生的抉择、高价值的学位、积极的生活状态，以及现在的生活都很好地表现了出来。这样的自我介绍才是有能量、有分量的，而女生想要的也是这样的身份介绍。

这种方法就是"三分法"。简单来说，就是把你即将要说的答案，分成3个部分来描述。而这3个部分，可以按照多种逻辑关系来划分，例如，按照日期：过去、现在、将来；按照时间：早上、中午、晚上；按照空间：北京、上海、广州等。这样就可以轻松回答女生提出的问题。

女生最爱问什么

随着对吸引学研究的逐步深入，我慢慢发现女生爱问一些相似的问题。因此，我为大家准备了一些女生常会问的问题以及应对方式，这样面对女生提问的时候，你就能够从容回答了。

你是做什么的

在回答女生的问题之前，我们要知道一件事：在多数情况下，女生提问的目的都不是要你给出答案，而是希望通过一问一答的形式，发现你的价值所在。她会根据你透露出来的价值，衡量是和你交流下去，还是断绝交往，所以在询问你的职业时，她其实希望得到更多信息。

我给律师朋友的建议就遵循了这样的逻辑：**首先，展现小时候的梦想或憧憬；其次，描述成长中实现梦想的过程，或者也可以简单说明一下自己在这期间遇到的困难，有没有想过放弃；最后，表述自己的现状，解释一下自己是如何一步步走到现在的，现在的生活状态又是怎样的，对未来的生活有什么想法。**

之前有个学员问我："女生问了一个问题，我自己就一个人唧唧歪歪地说了一两分钟，会不会太啰唆？"

其实不会，女生很难从几个字中理解你的思想，看到你内心真正的想法。相反，如果你把自己的想法、思想完整清晰地表达出来，我相信她绝对不会觉得你烦。

你是哪里人

在没有学习三分法之前，很多男生只会简简单单地回答一个地名就结束话题了。但这样女生很难了解你所在城市的具体信息，很难与你有一种情感的共鸣、情绪的交融，甚至还可能会受一些地域偏见的影响，对你也产生了一种不好的印象。

如果女生问我是哪里的，我会这样回答。

"我出生在毛主席的故乡湖南，小时候在农村，家里很穷，所以生活非常节俭。后来我爸妈毅然决定离开家乡南下创业，所以不到 5 岁，我就跟着爸妈来到了广州。大学期间，我的学习成绩还不错，也因此有机会到欧州留学读研究生，使我对外面的世界有了更多的了解。后来因为喜欢国内的环境，所以回国发展了。我把自己在国外的所见所闻与行动结合起来，在广州这座城市创业，现在成立了自己的公司，并为自己的公司努力着。"

这是一个非常好的回答。这一段话不仅回答了对方提出的地域问题，还使用三分法在中间穿插了一些过往经历，很好地体现出了自己的价值。女生接收到这些价值后，很有可能会被吸引。

这个回答并不是标准答案，除此之外，你还可以说一些其他信息，例如，你以前生活在什么地方，你想去什么地方，为什么想去那些地方，现在住的地方是什么样的，等等。

你叫什么

分享一下我一个朋友的经历，刚上大学的时候新生都需要自我介绍，那时班上有55个人，而他是最后一个介绍自己的。因为前面花的时间太长了，所以轮到他的时候，班里同学都已经昏昏欲睡了，于是他就想怎样能吸引大家的注意呢，于是他做出了一个大胆的决定，上台之后，他"啪啪啪"地猛拍了黑板三下，把大家都惊醒了，然后说："我叫安迪，来自深圳，欢迎大家以后来找我玩。"很简单的介绍，但是大家都记住了他。

所以在回答姓名问题的时候，如果你的名字本身不够特别，不能让人印象深刻的话，就在回答方式上花点工夫吧！

你多大了

有一个不错的回答可以作为参考。

"我身份证上写的是 25 岁，但是前两天做了一个心理测试，结果居然是 48 岁，害我郁闷了好几天。后来一个小妹妹说，这样很好，女生喜欢成熟的男生，我这样的心理年龄能给女生带来安全感。我也只好接受自己有这样一个老成的年龄了。以前我认为男生的黄金年龄在 30 岁左右，因为这个年龄段最能吸引女生，和身边很多女生聊天后才发现，原来 40 岁左右的男生才是最受女生欢迎的啊！"

你平时喜欢做什么

当女生问出这个问题时，表明她们对你产生了一定的兴趣，所以一定要好好回答。

你可以像下面这样回答。

"我这个人吧，性格比较多面：人多的时候，我会经常组织大家一起活动，像爬山、野炊、唱歌之类的；人少的时候，我比较喜欢听一听音乐、写一写歌、谱一谱曲。另外，我很喜欢和家人相处，像陪妈妈看看电视，与爸爸聊一下工作上、投资上的事情。"

女生："哇！你的生活真丰富啊……"

讲了这么多，大家应该对三分法比较清楚了。记住，三分法没有一个绝对的标准，其核心理念是分层次的逻辑关系。

世界上的很多事都是如此，没有什么是绝对的。只有适合自己的，使用起来才会更加顺手，只有适合自己的才是最好的。

在与女生交流之前，一定要把这些答案的详细版本写下来，尽量开动自己的脑筋，利用三分法，根据自己的经历把这几个答案写出来。在以后的实际场景中，你就可以灵活使用了。

这样不仅仅回答了问题，还告诉了对方一些关于自己的有利背景信息，这就是三分法的强大效果。

价值植入

与女生的交流中，要植入比较有价值的信息。

例如，女生如果问："你愿意留在这个城市发展吗？"这个问题就涉及你的背景，如果你事前已经准备好了，那么回答这个问题是很容易的："你知道我小时候的梦想是什么吗？就是能到城市里来生活！其实我很喜欢这个城市，现在我和朋友一起创业。如果生意做得好一点，也会考虑去更大的城市发展，视情况而定，那你会在这个城市发展吗？"

这就是一个很好的植入自己价值的例子。但在生活中，大家会遇到各种各样的情况，所以灵活运用是很重要的。

作业

1. 针对本小节讲解的 5 个问题，根据自身的背景，按照三分法的原理，写出答案。

你是做什么的？

你是哪里人？

你叫什么？

你多大了？

你平时喜欢做什么？

2. 继续每天在生活中接近 3 个陌生人，聊天 10 分钟。

运用前面教的思维风暴聊天法保持聊天的持续性，利用三分法穿插高价值展示。

有趣比有钱更重要

　　女生喜欢幽默风趣的男生，但很多男生却因各种先天或者后天的原因，十分木讷和不解风情，因此丧失了很多机会。

　　我的一个学员是程序员，这个职业容易给人一种木讷刻板的印象，凑巧他真的符合这种刻板印象，每一次和女生聊天都十分认真。例如，女生开玩笑说："我觉得前面那个男生看起来比你帅哦！"他就会一本正经地回应说："哪里啊，很明显我比较帅，你看前面那个人……"然后女生只能一脸尴尬地说："我开玩笑的。"结果，两人基本没什么可能了。

　　你是不是也有过类似的经历呢？虽然觉得很懊恼，但又因自己天生没有幽默感，不知如何是好。其实并非你想的那样，幽默感是可以学习和培养的。

　　我们的大脑没办法同时处理两个本质上"相对"的概念，因为这两个概念会产生张力，我们的大脑中控制逻辑的部分需要寻找一个方式来释放这个张力，笑就是方式之一。所以要培养幽默感，就要学会利用"相对"的概念。

例如，你说："我真的很想对你说，你的眼睛很漂亮……我新买了一台电脑。"的确，这句话令人意想不到，但并不好笑，反而显得你不正常，因为这两句话之间的衔接不合理，根本没有任何联系。

那怎么说才会有幽默感呢？你可以这么说："我真的很想对你说，你的眼睛很漂亮……（停顿1秒）但我实在说不出口。"作为一个习惯了男生赞美的女生，当你说"你的眼睛很漂亮"时，她的大脑会立刻做出反应，把你归入拍她马屁的普通男生。但当你说出"我实在说不出口"这句话时，就等于让她白高兴一场（引起了情绪波动）。这就是比较成功的幽默。

幽默 = 想不到 + 合理

举个例子，当有人说："随着年龄增加，会发生3种情况：首先是记忆力下降……"后面你会期待他说什么？

"第二种情况""第三种情况"……

但这种叙述方式就太过普通了，没有让人意想不到的感觉，所以无法令人产生深刻印象。但如果我说："随着年龄的增加，人会发生3种情况：首先是记忆力下降……其他两个我已经想不起来了。"是不是也有小小的意外？但又是合理的，这时候就会产生一种幽默感。

下面这个例子你也一起来参与吧。

如果有人说："别人的追悼会你一定要去。"这时，你一定会觉得很纳闷。现在想一下应该怎么回答才会显得很幽默。

给你10秒钟：1……2……3……4……5……6……7……8……9……

秒表坏了……（这也是幽默的一种，意想不到却又很合理）。

想出来了吗？"别人的追悼会你一定要去……因为你不去他们的，他们也不会来参加你的追悼会。"

对很多人来说，幽默最难的就是要想出别人想不到的话，而且又要合理。这确实是难题之一，因为同样一个话题，你要有意识地从别人想不到的角度去考虑。但如果坚持这么做，久而久之，这种能力就会被锻炼出来。

有哪些日常方法可以来增强自己的幽默感？这里提供一个我以前用过的小练习。

在自己空闲时假想一个问题："如果……会怎么样？"例如，"如果大象要用耳机，耳机是什么样的？""如果电脑显示器突然吹出一个泡泡，泡泡会从哪里出来呢？"……

平时多想一想，就可以锻炼你的想象力，让你更容易想到别人想不到的语言。然后，再组织一下，让你的语言变得合理就可以了，这一步相对比较简单。

我有个朋友喜欢给女生看手相，女生们还挺感兴趣的，但是如果你只是简单地解说生命线、事业线之类的话题，是很难从众多男生中脱颖而出的。有次因为某个女生本身性格比较开放，他就说了一个比较夸张的。当时，他看着这个女生的手相说："嗯……这条线吗？这是你的情人线……代表你一生一共有23个情人。"

很明显，他是胡说八道的。但这显然比一本正经有趣得多，女生也会更喜欢。在这个例子里，还涉及另外两个可以借用的幽默工具——荒谬和互动。

幽默的工具

第一个：荒谬

其实，"荒谬"本质还是归到"想不到"这个幽默元素里。上面例子里的"情人线"，女生绝对想不到你看着她的手相，会说出"情人线"来。即使她感觉你在瞎说，但想想也是合理的，要是真有情人线，也是正常的。

再例如，你和女生一起吃饭，汤里有生姜片，你把生姜片挑出来，很认真地夹给她吃，说吃生姜片有助于培养幽默感，然后坏笑。当然这个"培养幽默感"可以换成她抱怨过的东西，如加班等，你可以说"吃生姜片会有助于减少加班的次数"类似听起来很荒谬的话。但只要你说的方法对，自信放松地说，就会产生很好的幽默效果。

第二个：互动

幽默不一定只局限于说笑话，只要让她产生愉悦的感觉和情绪就好了，通过互动产生的幽默会让人觉得更好玩，更能给你加分。

你："你能装作不认识我吗？"

她："我本来就不认识你啊！"

你："嗯，装得很好、很像，真乖。"

通过这样的互动，让女生参与到你的幽默中，比你自己搞笑而她只是观众这种方式，更能拉近你们的距离。

不管是面对女生、竞争对手、谈判对手、亲朋好友，或者是陌生人，幽默都是瞬间拉近关系、化解防卫心理、制造亲切感和情绪波动的高效技巧。幽默是魅力男生不可缺少的品质，是社交的润滑剂，在吸引学中，幽默有着举足轻重的地位。幽默感的培养，一部分来自智慧修养，另一部分来自不断的历练。

现在我就来分享幽默的五大法则，让我们无论何时何地都能够充分利用幽默。记住，要有自信，如果你认定自己是个没有幽默感的人，那你可能会真的变得很无趣。

幽默五大法则

曲解式幽默

曲解式幽默是对字义、字音、语法等属性等进行曲解，即故意误解别人的意思，其实有点类似我们常说的冷笑话。

你登台演讲前，有点紧张，上台时不小心被地上的电线绊了一跤，台下的观众发出一阵哄笑，这时你走到舞台中央，拿起话筒，从容地说："你们真是太棒了！让我为你们的热情而倾倒！"

与女生互动时也可以这样。

女生："哎哟，脚好酸哦。"

你装作很紧张的样子："怎么了？是不是踩到柠檬了？"

夸张式幽默

夸张式幽默就是对事件人物、景物、动物等一切进行夸张。夸张确实是常见的幽默技巧之一，可以使事物变形到可笑的程度。

你和女生走在路上，然后你突然拉她一下，说："小心。"

这时候她肯定满脸疑惑地问你："怎么了？拉我干吗？"

这时候你说："有个蚂蚁，别把你绊倒了。"

意外式幽默

意外式幽默其实是三段式，通过反差来制造意外，对事件、人物、景物、动物等一切进行意外化解读，简单易行，有点类似于神转折。意外式幽默的主要制造流程有**铺垫、铺垫和转折** 3 个。举一些例子供大家参考。

同类 / 同类 / 异类：T 恤上列出世界名城，巴黎 / 东京 / 法国。

意料中的特质 / 意料中的特质 / 出乎意料的特质：一个美女，她端庄 / 她婀娜 / "她"是个男的。

讨人爱的 / 讨人爱的 / 讨人厌的：拉斯维加斯婚礼礼包内含你所需的一切，音乐 / 鲜花 / 离婚协议。

调侃式幽默

调侃式幽默一般都是对人物进行调侃，可以是互损，也可以是委婉地夸奖，注意调侃要注意尺度和分寸，不然惹女生生气就不好了。举个例子。

你："其实，你在我心中已经十全八美了，只缺两种美。"

女生："哪两种？"

你："内在美和外在美。"

自大幽默式

简单来说，这种幽默方式就是表现出一种"自我感觉良好"的状态，建议配合自我打压一起使用，不然容易让女生觉得你是个自大狂。

女生："我目前还在寻找我的男神。"

你："别人都叫我男神，我该不会就是你要找的吧。"

女生："切，你帅吗？"

你："像我这么幽默风趣、潇洒自如、智慧与胆识结合于一身的男生，能不帅吗？"

女生："Go to hell!"

你："刚刚从阎王殿回来，阎王爷的女朋友看上我了，阎王爷怕我抢了他的行情，所以不让我死，又把我送回来了。"

幽默之道：曲解、夸张、意外、调侃、自大。

现在你们已经完全记住这五条法则，接下来就开始练习吧！掌握之后，你就可以快速、随意地表现自己的幽默感，成为派对和聚会的主角。这时候，你的吸引力一定可以使你心爱的女生看过来。

作业

按照本节讲的方式，练习幽默感。一开始对着镜子练习，练习了3次之后，尝试在和女生聊天时加上幽默元素。

用一个故事走近她的世界

在"思维风暴聊天法"一节里我们说过,与女生聊不好天有两类原因:第一类是你和她没有共同语言;第二类就是有话说,但不知道如何表达出来。所以这一节我们要解决的问题就是如何让满腹才华通过语言表达出来。

一个聊天高手应该具备聆听、发问、讲故事三大能力。这一节重点讲解讲故事能力。

和女生交流并不是盲目地,而是要带着两个目的:**一个是给女生展示你的高价值;另一个就是拉近你和女生的关系。**

恰好,讲故事的方式可以帮助你实现这两个目的。一个故事不仅可以反映你的领导力,还能表现你幽默、大度、具有冒险性,等等。你可以通过一个故事表现亲和力和宽容心,培养你和对方相处的舒适感,或者是利用这个故事触动吸引力的开关,瞬间将她吸引。

但是,不是所有的故事都能达到这样的效果。这些故事应该是你精心设计好的，这并不是让你毫无根据地现编，而是要学会把一个看似普通的经历说出特别的感觉。只要你擅长讲故事，那么女生一定难以忘记你。

怎么讲故事

我为大家总结一下讲故事的要点。

尽量多地使用描述性语言，产生画面感

类似这种小事情，你在每天生活中都会经历很多，记得多运用一些描述性语言向别人叙述。画面感强的故事，无论男生女生都喜欢听，这样你的故事就会充满吸引力了。适当使用了很多细节叙述，包括当时的心境、小动作等，会让人有一种在你身边、和你一起经历了这件事的感觉。

在讲故事的过程中嵌入你的价值

嵌入的价值不要非常多，有一到两点就行了，如体现朋友圈很广，或拥有一家自己的公司。千万不要奢求编撰出一个完美的故事，太过完美反而会降低你的可信度，让人觉得你在吹嘘。

讲故事时一定要和对方互动。

如果不互动的话，就很容易变成你的独角戏。

你要问问对方："如果是你，你会怎么办？"这样，就会让听故事的人有种身临其境的感觉，参与到你的互动中来。

以往每次我跟学员分享"讲故事"这个沟通方法的时候，都会有学员表示："潇邦老师，现在我已经会讲故事了，但是我每天的生活都非常无聊，没什么值得说的故事。"

其实不是你没有故事，而是你没有正确看待自己的故事，有时候你习以为常的事情，对别人来说却是非常特别的。可能你随意讲的一个故事，都正好戳中她内心的向往。只要善于发现，随时总结，那么你的故事就会源源不断，并且能够吸引女生。

讲什么内容

有哪些事情值得拿来对女生讲呢？故事内容应围绕以下几个方面。

生活细节

其实，并不是拯救世界这样的大事才能作为故事，生活中开心、悲伤、愤怒的事情都可以拿来分享，例如，你的旅游经历、兴趣爱好，甚至是今天出门遇到的一件小事。**关键是你的表述要细节丰富，让人身临其境。**

拿旅行举例，你的故事是去野外探险时迷路了，最后靠着不断探寻走出来了。

　　大二时，我组织同学一起参加野外探险活动。下午 5 点左右，我们准备回去，却突然发现迷路了，越走越不对劲。有些女同学已经开始害怕，甚至都要哭出来了，因为已经快天黑了，再不出去，我们一行人就可能会被困在这里。白天玩了一天，手机都没有电了，也没人带手电筒，森林里漆黑一片，我们在森林里足足转了快两个小时，却怎么走也走不出去，这时我们体会到一种前所未有的恐惧。如果这时候是你在带领团队，你会怎么办？我当时立刻大声对大家说："别怕！我记得这条路，我们来过好几次了，往前面再走一会儿就是出口了！"其实当时我心里没底，因为我根本不认识这里。我这么说只是想给大家一个希望，给团队继续前进的力量。到晚上 7 点半，我们发现了前面有一些灯火，最后终于从这片森林里走了出来，那一刻，我们真的好像重生了一样，抱在一起欢呼雀跃。

　　这样故事是不是就变得丰满起来了呢？其实你也不用太过担心，故事讲得多了，就可以做到信手拈来。你还可以提前做一些设计和练习，这样你遇到喜欢的女生时，就可以把故事随时随地拿出来使用了。

关系和谐

　　简单来说，这类故事就是能体现你和周围人相处融洽，可以是你和朋友、上下级、同学、亲人之间相处的故事。这类故事能将你和他人之间的和谐关系体现出来：你是有趣的，你的圈子也是有趣的。如果你和周围的人相处得都非常好，你这个人当然是很有价值的。以下是在亲人、家庭方面体现出家庭和睦、幸福的例子。

我的妈妈很喜欢跳广场舞，她一开始在广场上扭动时，那种姿态非常搞笑，但经过努力之后她就跳得非常好了。

我突然发现，爸爸当年"泡妞"是非常厉害的，为什么呢？因为我有一天无意间翻出他写给我妈的情书，啧啧啧，那文笔！

这些都是和谐关系的体现，非常吸引女生，不要觉得这些都是生活常态，没什么可说的，相反这正是她期望的一种状态，是吸引她的关键所在。

事业有成

事业有成的故事就是你在某些方面取得了成功。例如，你如何克服创业过程中的种种困难？你为什么跳舞跳得这么好？你当初怎样把吉他学到这么厉害的？等等。

这些故事要展现你是一个自信的、积极乐观的男生，要知道，这些都是非常吸引女生的。如果你实在想不出来有什么值得炫耀的成功事件，也可以展现你的冒险精神。

冒险精神是女生非常注重的特质，因为它代表着一种上进的可能。所以无论你是冒险成功，还是失败，都能打动女生。成功了，你可以讲如何克服这一路的风险；失败了，你就讲如何勇于承担责任。女生对于勇于承担责任的男生抵抗力都比较弱。

自我完善

自我完善的故事可以告诉女生你是如何改掉坏毛病、如何成长为现在的自己的。例如，分享你的戒烟故事。你可以告诉她，你以前为了装帅而学会了抽烟，但后来意识到这样不好，就通过各种方式，凭借坚强意志最终克服了烟瘾，所以现在不抽烟了。在讲述过程中可以多说一些具体的困难，凸显这件事的不易。

也可以分享你的健身故事，例如，你每天早上 6 点就起来了，先在家跳绳跳一百下，再去附近的小公园里跑半小时步，然后在这一路上你遇到过怎样有趣的人和事情，等等。

这类故事都能突出你上进和坚持不懈的品质，而这些对女生非常有吸引力。

表达你内心的脆弱

在女生眼里，男生的形象通常都是坚强独立的，所以如果你偶尔向某个女生展现了你的脆弱，她就会很自然地觉得你们不是普通朋友关系，然后不自觉地拉近你们的关系。

例如，你可以和女生说："以后再也不养狗了，因为狗是很有灵性的。养了一段时间后，和它们非常亲近、非常有感情，我就会把它们当作自己的朋友和亲人，我不愿意失去它们。每当我失去了它们后，我的心里就会非常难受。"

这种内心的脆弱敏感一般表达的是短暂性的迷茫、压抑以及你面对生命的无力感。但你要记住脆弱是短暂的，不是你的长期状态，总体上你还是要表现出一种积极向上的状态。你也可以和女生一起探讨如何克服这种低落情绪，表现自己的积极。

讲故事的禁忌

上面都是男生可以选择的故事方向，但也有一些不方便聊的话题，也就是我们所说的聊天禁忌。

消极类

消极的心态，例如，你觉得世事炎凉，别人都不跟你玩，不愿意和你吃饭，别人多么不好，社会多么不好，你觉得人生是灰暗的、负面的，等等。总的来说，就是一味地埋怨别人或是外界，浑身散发出一种负能量。

如果你的身上散发出这种消极的、负面的情绪。没有人会愿意和你在一起，女生认为和你在一起，她的世界也会变得很灰暗。她会觉得和你这样的人在一起很没有意思，很不舒服，所以你要表现出积极向上的一面。

金钱、财富类

很多人都拿捏不好这个分寸，说多了像在炫富，说少了自己又不好意思，甚至别人还会因此否定你的能力。而且金钱财富这个话题比较敏感和私人，如果直接问收入，容易引起对方的不适，所以建议在聊天的过程中避免。

情史类

不论是男生还是女生，都非常在意前任的问题，谈到前任多少都会产生一些不愉快。例如，当说起你和前女友的故事时，如果你说和她在一起很开心、很幸福，听故事的女生会觉得你还是爱前女友的；如果你说和前女友在一起不快乐，甚至说前女友的坏话，女生就会觉得你是个"渣男"，心想："如果以后和你在一起，不小心分手了，你肯定也会这样说我。"所以尽量不要涉及前任话题。

健康类

例如，你在研究什么药，你对什么重疾有深入研究，这些尽量不要讲。因为除了医生，正常的健康男性都不会对医药有很深的研究，如果你对这些很熟，女生会想：你对这些这么了解，是不是你的身体有类似毛病，或者家族有这种遗传病。女生很容易产生误解。

这几个禁忌话题在你没有很好掌握讲故事这一技巧之前，最好不要去碰它。等关系更进一步，或是你讲故事的能力变强了之后，也是可以说的。

　　讲故事的技巧和内容我们已经了解了，下一步就要学习如何开启这个故事。如果别人正在聊天，你突然强行插入，会让人觉得很不礼貌。所以，怎样把故事说出来，也是有技巧的。

故事的开头

　　这里给大家提供 3 种开头的方法。

牵引法

　　不管别人讲什么，尽量把对方的话题引到自己的身上来。例如，和女生聊天时，她正好说了一件你也很有感触的事情，你就可以说："讲到这个，我就想起了我以前也经历过这种事情……"

类比法

　　不管别人讲什么话题，你都可以说一件类似的事情，引到自己身上，然后开始讲你的故事了。例如，你可以对女生说："你的这个表情让我想起了我家的 Baby，我家的 Baby 是一只狗，那一天，它……"

倒叙法

倒叙，顾名思义，就是从结果开始说，这样可以使话题开启得更自然。而且你先说了结果，比较容易引起对方的好奇心，就算话题开启得不自然，别人也会因为想要知道事情的经过而继续听下去。例如，你可以说："你知道吗，我今天太开心了。为什么呢？因为……"

这些技巧让人感觉你不是刻意地在讲你的故事，从而让你的故事在对话中出现得更加自然。

作业

1. 拿出一支笔、一张纸，按照本节讲的五大类故事，在每一个类别上想 3 ~ 5 个故事，分别把它们写出来。

2. 你可以先对着镜子练习。一段时间之后，就可以给朋友讲故事。慢慢地，你讲故事的能力提升了，你就可以面对心仪女生了。

3. 练习前面教的技能，如思维风暴聊天法、三分法等。

老司机都会用的冷读术

最近有个学员非常激动地打来了报喜电话。事情是这样的：前段时间他认识了一个女孩，一开始女孩对他没有太大的兴趣，并且总抱怨他不懂她，不能理解她。这个学员真的非常喜欢那个女生，但无奈太缺乏技巧了。后来他学习了冷读术，大概学了一两个星期就已经奏效了。据说，女生满脸激动地看着他，说："你简直是全世界最懂我的人了！"所以他特地打电话来报喜。

看到这里，你是不是很好奇什么是冷读术？冷读术就是一种能在完全不了解对方的情况下，通过一些细微的表情变化或行为动作猜出对方心思的神奇技术！

简而言之，冷读是一种使人相信"这个人知道我的事"的技巧，可以让女生觉得"遇到知音"，赢得女生的信任，还能够瞬间激起她的兴趣，让你读懂她的心理，具有一种神秘感，让她对你产生信任感。

其实，冷读术并不是读心术，这些结论都是通过观察得出的，所有的心理信息都是她"主动"告诉你的，只是她自己浑然不觉而已。冷读术的厉害之处就是运用者能够捉住这些信息，让人觉得他了解自己内心深处从来没和别人说过的一些秘密。

冷读术怎么用

第一步：制造神秘感

你要在聊天的一开始制造神秘感，让女生对你产生好奇。

在刚开始运用冷读术时，你可以使用这几种句式。

"直觉告诉我，你是一个很有主见（很有冒险精神）的女孩。"

"我一眼就看出了其实你是一个很有冒险精神的女孩。"

"我刚刚注意到，你应该是一个很有主见的女孩。"

"你的声音很甜，是不是专门练过？我之前也练过播音主持，所以我对声音非常敏感，你的声音让我感觉很特别、很熟悉、很有亲切感。"

这几个句式一旦说出来，对方的心里就会产生好奇："你是怎么知道的？"

第二步：应对疑问

接下来，**应对她心里的疑问**。同样有三种句式。

"我相信心电感应，我在你身上感应到了这些，你相信吗？"

"这算不算心有灵犀一点通呢？没想到我们刚认识就这么聊

得来，我就喜欢和你这样的人交朋友。"

"我不是了解你，而是了解我自己，因为我也是这样的人。"

为什么要用这三种句式来应对呢？

因为男生的思维和女生是不一样的，男生的思维偏向逻辑化，偏向于讲道理，而女生最不爱听的就是道理。这样应对的原因还有，我们与女生聊天的目的是为了和她产生感情，从而吸引对方。

第三步：互动

在应对了对方的疑问后，你可以借用一些外在形式和女生互动。其中一种形式就是"进挪"，即触碰对方的身体。当你触碰对方的身体之后，她就会在心里对你产生一种更加熟悉、更加亲密的感情，分泌出更加亲密的激素——催产素。

第四步：诱导

接下来就到了冷读术的第四步。**诱导她，让她向你敞开自己的胸怀，与你心对心地交流。**冷读术还有一个核心技巧：两面性。例如："你外表……，但是你内心……。"当我们使用了两面性的语言来冷读对方的时候，对方就会感到很震惊："我隐藏得这么深，没想到还是被你看出来了！"瞬间让女生在内心认为你极具神秘感，从而对你产生强烈的好奇感。

你可以采用以下句式。

第一种："你看起来……"例如，"你看起来比较累，最近发生了什么事情吧？"

第二种："我觉得你……"例如，"我觉得你最近和以前不太一样，是不是身体不舒服？"

第三种："你的一些行为让我感觉……"例如，"你最近都不怎么说话，以前可不是这样的，你是不是家里出了什么事？"

第四种："我突然觉得你……"例如，"我突然觉得你好像和平时不一样，是不是和男朋友闹矛盾了？"

第五种："你有没有发现……"例如，"你有没有发现，最近吃饭的时候你变得沉默了，你平时说很多话的，是不是发生了什么事情？"

第六种："你是不是潜意识里感觉……"例如，"你是不是潜意识里感觉我喜欢你啊？"

用这些话语让对方对你敞开心扉，向你诉说心里所想，然后你就可以和她心与心地交流了。

注意，第四步一定要建立在前面三个步骤都已经正确使用了的前提下，否则效果会大打折扣的。

使用规则

虽然冷读术的作用很强大，但是在运用的时候，还有一些我们必须遵循的规则。

避免绝对化的表达

一些绝对性的词语，如"永远""完全""肯定""绝对"是不能用的。你需要用一些比较模糊的词语和语句，如"你有时候……""你一时这样，一时那样……"等。

一定要自信

在读对方心理的时候一定要自信，你要对自己所说的东西深信不疑，这种自信心是可以传染的，当你自己都相信的时候，对方也会更容易相信。

避免消极和悲观的预测

如果你对别人进行消极的冷读，就等于给对方带来一些负面的能量，别人就会从内心抗拒你、排斥你。同理，悲观的预测也会让对方觉得不开心，因为这也是一种负面信息。

不要像个"神算子"

我们的目的是通过聊天互动拉近感情，吸引对方，让对方对自己敞开心扉。如果让对方觉得你是一个"神算子"，这对你们的交往是没有多大好处的，可能还会引起对方的反感。

冷读术操作指南

讲了上面那么多的理论和注意事项，你是不是觉得冷读术非常复杂，很难学会？不必紧张，我给大家提供一个操作指南，这个指南就是你的右手。

摊开你的手掌，掌心朝下，只要记得每一根手指的特质，冷读时需要的所有词汇都能从手指"联想"出来。诀窍就在于只要说出由每根手指联想出来的例行话题，就是一整套适用于对方的解读。

大拇指是"领导风范"

大拇指的联想是"领导风范"。既然称之为"大"拇指，就有一家之主的意思。接下来要做的，就是想象你面前的人是个具有"领导风范"的人，然后再进行解读就行了。

食指是"热爱群体"

食指的联想是"热爱群体"。这是因为食指常用来指着别人，所以取其形象联想，非常直截了当。在解读的时候只要将"热爱群体"这一点用自己的话表现出来即可。

中指是"珍惜现在"

中指正如其名，是位于正中央的手指。如果从由过去、现在和未来组成的时间轴来看，位于正中央的就是现在。所以，中指的联想词就是"现在"。解读时你可以说："你是个不拘泥于过去或未来，只想要珍惜现在的人。"

无名指是"情绪"

婚戒通常戴在无名指上，而戒指给人一种非常浪漫的感觉。因此无名指的联想词就是"情绪"，也指感情。解读时可以说对方是重情感胜过理性的类型。只要想象一下情绪化的人会有哪些反应，解读的词就能无限延伸。

小指是"小孩"

小指的联想词是"小孩"，这也是一个非常直接明了的联想。解读的方向就是"你拥有小孩子般天真又单纯的性格"。

当然，解读时不应有嘲讽的语气或态度。只要将你在对方的个性中感受到的单纯可爱的特质传达出来，再怎么严肃的人也会笑逐颜开，愿意打开心扉，承认："我真的是这样耶！"

试试看"影子冷读术"

每一个手指只要说出一两句话就够了，请试着从大拇指开始循序渐进，进行属于你自己的"影子冷读术（Shadow Cold

Reading）"。

"（大拇指）大家真的都很依赖你呢！嗯，该说你具有领导风范呢，还是说你是一个值得信赖的领袖？你很大方，不拘小节，很有正义感，只要一见到别人有困难，就会不计得失地想要助他一臂之力。"

"（食指）总而言之，你就是热爱群体啦！比起一个人做些什么，更喜欢大家热热闹闹地玩在一起，对吧？"

"（中指）你不会受过去的事情影响而犹豫不前，因为当下最重要。所以即使吵架了，隔天就忘得一干二净了。你也不太担忧将来的事，是不管怎样先做了再说的人。"

"（无名指）这么说来，你算是非常果断的人，但是有时候也不免情绪化，容易因为别人不经意的一句话而感到很受伤。感情起伏还挺激烈的，脾气经常一下子就上来了。"

"（小指）其实你是很怕寂寞的人吧？如果对方不理你，就会开始闹别扭，真是可爱的个性。所以，因为喜欢待在你的身边，大家自然就聚集过来了！"

当然，如何解读手指联想字，并没有标准答案，只要摊开你的右手，按照顺序试着说就行了。这些右手的联想词，就是以后你熟练运用冷读术的基础。

其实操作指南除了右手，还有左手哦，千万不要因此觉得焦虑，因为你完全不必重新再记其他东西，而是只要说出与右手手指"完全相反"的特性就可以了。

左手大拇指是"工匠气质"

右手大拇指的联想词是"领导风范",领导者给人的印象就是周围常跟随着许多伙伴,那么相反的形象就是孤独一人专注于某件事情,所以左手大拇指的联想词就是"工匠""专家"。

"简单来说,你是专家性格,自己独立追求目标。你凡事都想自己来,不觉得受人帮助是件好事,对于那些随便就想依赖你的人,你有时会觉得很不耐烦……"

左手食指是"远离群体"

右手食指的联想词是"热爱群体",那么左手食指与右手完全相反就是"远离群体"。但是千万要注意,如果直接说"你就是讨厌群体",对方会觉得被说成了一个讨厌鬼,心里自然不舒服。所以诀窍在于,"读心者"要表现出自己的个性也具有这一点,和对方产生共鸣。

左手中指是"过去与未来"

右手中指的联想词是"现在",属于不拘泥于过去或未来的人,那么左手中指就是"过去与未来",也就是非常在意过去与未来的类型。

左手无名指是"理性"

右手无名指的联想词是"情绪",那么左手无名指的联想词是

"理性"，意思是这个人比较冷静、客观。所以，重点就是要说些让别人听起来心情愉悦的词语。

左手小指是"成人"

右手小指的联想词是"小孩"，那么左手小指的联想词就是"成人"了。解读时只要将"自立的成人"的形象描述出来即可。重点就是要强调大人的严谨，而不是小孩的天真无邪，也可以灵活地扩充延伸。

作业

　　1. 找一个比较熟的朋友，然后把你对他的看法写下来，最好是普通人不会轻易看出来的方面，然后对比他当下的行为，把他外在表现的性格写出来，写3条左右。然后打电话给他，对着那张纸和他聊天，聊着的时候，你可以说："你虽然外在表现……，其实你内心是怎么怎么样的。"对3～5个身边的女性好友进行冷读，然后好好感受冷读的威力。

　　2. 复习，接触身边周围的人，练习前面教的技能。

打压，让女生欲罢不能

很多男生认为，与女生相处的时候，需要一直夸她、一直捧她，才能和她相处融洽。其实这是错误的想法，会导致两人之间关系的失衡。如果你只是一味对她好，满足她的任何要求，就会给你们的长期关系埋下一个大隐患。

我遇到过很多这样的学员，追女生的时候对她任何无理的要求都有求必应，生怕多问一句就会惹对方生气，结果最后都妥妥地沦为了"备胎"。

为什么要打压

我们要学习"打压"技巧，学习如何掌握褒贬结合的平衡点。因为这是对你这段关系负责任，也是对你未来的爱情负责任。这么做有以下 4 点益处。

让你成为一个特别的男生

老子说，民不畏死，奈何以死惧之。用在情感上解释即一个女生再优秀，要是我不喜欢，对我来说就还不如一瓶水。

为什么这么说呢？

你在沙漠里迷路了，这时候你已经渴了两天，眼看快要撑不住了。如果这时候你身边出现了一位美女和一瓶水，让你选择其中一个，你会做何选择呢？

毫无疑问，你想要水，因为这个时候水的价值明显要比美女的价值大得多。

当你不需要这个女生的时候，她就会没有那么重要。而感觉到你没有那么在意她之后，她的女神姿态也会收起来，你就能获得更加平等的交流机会。

降低女生的社交地位

有一次，我和一个朋友参加聚会。这个朋友是个警察，当时他可能有心事，一直在低头看手机，不怎么说话。在聚会的过程中，有女生过来问我："你那个低头看手机的朋友是干什么的呀？我感觉他好酷哦。"

你看，你在对方心目中留下一种冷漠的印象其实是一种打压，而在进行打压行为之后，她反而对你产生了兴趣，想要更加了解你。

这就是无需求感的一种表现，无需求感本身就是一种打压，特别是对美女。因为她们平时不管到哪里，都习惯被很多男生围着、哄着，突然看到有男生对自己不感兴趣，那么注意力就会聚集在你身上。

避免自己成为这个女生的潜在追求者

很多男生在和女生聊天的时候，都喜欢在她们面前吹嘘自己，这样会让女生觉得你在讨好她。女生的女神姿态就是这样练就的。

如果你在没有打压对方之前，就直接和女生聊天，特别是在你还不太会展示价值的时候，会让女生把你列入她的潜在追求者的行列。

如果你不能把自己从她的潜在追求者名单上移除，不能和那群追求者区分开，那她就会对你产生防备心态，抵制与你接触。

所有人都这么做，你也这么做，你凭什么得到她的芳心？想吸引女生，要么极端优秀，要么与众不同，而打压就能使你与众不同。

传递你的强势与自信

敢于打击对方、批评对方的人，都是价值比对方高的人。如你的上级敢批评你，你的父母敢批评你，你的老师敢批评你。如果只是平级关系的话，别人最多无视你，而不敢批评你。

和女生交往也一样，第一次接触的时候在保证礼貌的情况下，可以使用打压传递我们的强势，让她的内心不再觉得自己是女神，这可以让你们的这一段关系达到平等。

获得打压资格

明白了打压的目的后，是不是随随便便就能打压女生呢？不是的，打压之前，我们还需要做一些准备，那就是要获得打压资格。

某天早上你刚到公司，老板看到你就说："你这衣服穿得有点不对劲啊？嗯，不过没事，你先工作吧。"

听完这句话，你会怎样呢？你可能会郁闷一天，并不停地想："我的衣服到底哪里不对劲了？"甚至还会去问你的同事："你看看我的衣服，有没有什么地方不对劲？"

你看，这就是一个正确的打压关系。老板具有打压你的资格，所以他打压了你之后，你绝对不会去反驳，而是会下意识地想："到底我哪里做错了？"因为你绝对不会认为你老板故意骗你。

这就是拥有了打压的权力之后的打压，效果就是被打压的人不会怀疑你，不会反驳你，而且还会真的从自己身上找问题。

那我们怎样获得打压的资格呢？下面有几个方法。

你得拥有公众价值

向大家展现自己的价值，只有当大家认可了你的能力、你的价值之后，你才能去打压别人。如果你没有这个价值，你就没有资格打压别人。

怎样才能获得公众的价值认可呢？例如，在一个群体中，你是领袖；或者在这之前，你得到了这群人的认可：你给大家展示了自己非常有深度的思想；你给大家讲了一段笑话，逗得大家哈哈大笑，等等，这些就是向大家展现你价值的方式。

在打压目标的同时也要打压别人，甚至自我打压

这是因为你要给对方一种感觉："我打压你并不是我素质不好，而是因为我就是这么幽默的一个人，我只是想调侃一下你。"这就是虚晃一枪，我们本来的目的是打压这个女生，但是我们先打压别人，再打压这个女生，她就不会对他的行为反感了。

例如，你想调侃对方的头发时，你可以先打压自己："哎呀，你看我这头发乱糟糟的，很久没整理，难受死了。你也是吧？哎呀，怪不得呢，我最近一直闻到一种头发味道。哈哈哈，我这么说，你别打我呀。"

不要害怕找寻别人身上的缺点，因为任何一个人都是有缺点的，如果你想找一个长久的伴侣，你就要接受她身上的所有优点和缺点。当你认识到一个女孩子的缺点之后，仍然喜欢她，甚至还追求她，她会觉得你是认真的；但如果一个女生出现，你想都不想地就接受她、追求她，那么她会觉得你太草率了，只是一时冲动或者是玩玩而已。

不能有针对性

你要制造一种偶然的状态：打压完之后要继续之前的话题，不要停留在打压上。不要看到女生就直接说："你看你的头发，又脏又乱，很多天没洗头了吧？"这样她会觉得很难堪。

你可以说："头发得经常洗，洗多了发质才会好。你看洗了之后就会像我这样子，清清爽爽的，感觉多好。哎呀，你的头发是不是没洗？怪不得我一直闻到一种怪怪的味道。哈哈，我感觉××柔顺洗发水不错，一直用它，推荐你也用一下。"

你看，这就是在头发、发质和洗发水的过程中穿插了打压她的内容，打压完之后把这个话题继续下去，讲到了洗发水的牌子，并没有停留在打压上面。你没有对她本人的缺点进行有针对性的打压，就不会伤害到她的自尊，这样对方就能接受，就不会觉得不舒服。

打压的误区

有些人在打压女生的过程中出现了很多错误，我总结了一些常犯的错误和必守法则，和大家分享一下。

法则一：任何情况下，不要讽刺挖苦女生，不要和她争辩

有些男生在学了"打压大法"之后，心态发生了变化，觉得就应该打压女生，不管遇到什么问题，都需要使用打压技能。特别是当女生放出"无兴趣指标"的时候，有些人就一通凶猛打压，讽刺挖苦女生，和女生争吵，导致女生生气地走了。

女生为什么会对你没有兴趣呢？很简单，那是因为你展示出来的价值不够，不足以打动女生。所以，在面对女生的"无兴趣指标"时，你不能也给她"无兴趣指标"，而是要展现你的价值，对她产生吸引，才能抓住这个女生。所以我们面对女生的冷淡，继续展示价值就可以了，不要跟她争辩、吵架，更不能挖苦、讽刺。

法则二：不能针对她明显的缺点、弱点来打击

例如，"你几天没洗澡了""你怎么长得这么丑""你牙齿怎么这么黄""你怎么这么矮"等，这些话你都不能说。如果你直接用这些语言来打压的话，就会伤害到对方的自尊，女生可能一辈子都不理你了。这不是打压技能，这叫情商低、不礼貌。

法则三：话语不涉及第三方的关系

什么是第三方关系呢？就是你和这个女生之外的其他人，如父母、亲人、朋友、同学等。

很多人不会说话，有时候会在女生面前抱怨："你妈妈怎么这样""你弟弟怎么那么没出息""你那个朋友真不行"等等。如果你直接打压了第三方关系，会让对方难以接受，同时显示出你是一

个喜欢抱怨、讽刺他人的人。

打压什么

正确的打压是只打压可以改变的东西。哪些是可打压的呢？

关系

这里所说的关系并不是指你们和其他人的关系，而是你们两人之间的关系。一般是利用姐弟、兄妹这种非情侣的关系进行打压。一方面隐藏你的需求感，另一方面也展示一种挑战性。

例如，"我觉得你很小，我们可以做兄妹啊。""要是我喜欢姐姐的话我肯定就跟你在一起了，唉，可惜啊。"

情绪

当女生表现得不太主动时，你可以说："和我在一起是不是很紧张啊？来，让我看看你的手，哎呦，都出汗了，没事。"

感觉身边女生被其他人所吸引时说："哎，见到我的朋友是不是很兴奋？看得出来你很喜欢和我这帮朋友玩。"

社交

例如，在酒吧里面可以说："哎呀，平常没有看到你，你很少出来玩吧？"或者是"没看出来，你这么会玩，经常来酒吧玩吧？哈哈，可以啊你。"

看到她在咖啡店看书时可以说："看不出来啊，你还会看书？看的是漫画吧？"

这是一种捧杀。

我们"杀"有两种手段：一种是"捧杀"，另一种是"棒杀"。"捧杀"就是表面上在夸她，其实是在贬她；"棒杀"就是直接打击。其中更高级的打压方法就是"捧杀"，表面在夸奖对方，其实是在贬她，造成一种强烈的反差效果，同时表现出自己的社交智慧。

打压技巧

反应不灵

这招很有意思，同时也很有效。什么叫反应不灵呢？例如，女生跟你讲话，她说了一次，你假装没听到，让她主动再说一次。

因为女生在讲话的时候，习惯了周围人认认真真地听着。但是和你聊天的时候发现你没有认真听讲话，这暗示了一点：她讲的东西是没有吸引力的，甚至她没有吸引力。这会让她抓狂，但是又不好发作。

男生："你说什么？我没听到，你再说一遍。"

女生："我刚才说……"

男生："哦，这个啊，你下次说话大声点，你说话声太小了，要我买个大喇叭给你吗？"

女生："才不要，你自己耳朵坏了！我给你买助听器！"

男生："我才认识你没多久，你就在我身上花钱啊？那多不好。当然，如果你对我有非分之想的话，那就另当别论，也是可以理解的，呵呵。"

肢体语言

人与人沟通交流时，语言在整体上占比很小，还有很大一部分是肢体动作，所以肢体语言上的打压也是十分有效的。我们在和女生说话的时候，身体不必直接对着她，可以侧着身子。在和她聊天的过程中，我们可以东张西望、眼睛看着其他地方，这样就会给女生一种感觉：你不渴望和她交流互动。

因为你的身体语言告诉了对方，你在思考其他事情。但是要注意，你的肢体语言不要使用太频繁。例如，你要策略性地"东张西望"，而不要一直都在东张西望，不然会让女生觉得你的小动作很多。一定要把握好这个度。

仅打压的技巧就讲了那么多，听起来非常复杂，但不要怕，应该大胆实践。在刚开始的实践中你肯定会犯错误，不过没有关系，我们可以慢慢进行。认真看几遍本节，结合实践思考，然后在和女生互动打压的过程中，不断对照这些注意事项进行调整。多尝试，多锻炼，你就可以掌握。

作业

在和身边女生的交流中使用"捧杀"技术来打压她，即表面上是在夸，但真正意思是贬。在练习时，请尝试把我们教的技巧都用上。

坚持练习，你慢慢地就能找到感觉了。

形象大改造，拼才华更要拼颜值

在两性关系中，第一印象的重要性不言而喻。

还是以学员为例。学员们最初给我们发来的照片，真叫一个惨不忍睹，有些学员留着完全不适合自己但据说很流行的发型，穿着也不讲究，整体给人一种邋遢的感觉。他们咨询如何追求女生，但我们给他的第一个建议就是先改造形象！从头到脚，甚至穿衣风格都要做出改变，寻找最适合自己的风格，然后再学习恋爱技巧，才能轻松俘获女生的芳心。

很多人认为长相是天生的，除非整容，否则没得救了。其实人的整体气质比长相更重要，如果你长得很帅，但透出猥琐的感觉才更是没救。

在电影《中国合伙人》中，主角黄晓明在电影里留着一个三七分的发型，带着一副厚重的眼镜，穿着一件不太合身的衬衫，弯腰驼背，说话没自信。如果你在生活中遇到这样的人，肯定会避而远之。

　　但出现在娱乐节目中的黄晓明是什么样的呢？帅气、阳光，充满魅力。同一张脸，因为穿着打扮和肢体语言不同，给人的感觉相差那么大。

　　这个例子告诉我们，一个人帅不帅并不在于五官长得好、个子高，而是整体给人的感觉好。当然，一个人要经过综合性的修饰之后才能把自己打造得焕然一新。

　　很多人会说男生的外貌不重要，内在美才是最重要的。他们认为女生不会因为外表和他结婚，而是看他有没有内在，所以他就不用在乎外表了。这一类男生不重视自己的外在，整天邋邋遢遢，给人的感觉非常不好。假如有十个男生同时追求一个女生，而她又完全不了解那十个男生，她会如何挑选呢？很简单，当然是看外在了。所以我们一定要注意自己的形象。

　　再者，女生出门和男生约会之前，都会悉心打扮一番，假如你和她约会时邋里邋遢，这样尊重对方吗？

　　说了那么多，相信大家已经了解外在的重要性了。下面咱们讲讲如何才能改造不完美的自己。

发型

　　先从头说起，发型是非常重要的，假设一个人的外形满分是100分，那么发型就占了40分，人们可以从一个人的发型看出这个人的性格。

最重要的是发型要适合自己。你可以去一家较高档的理发店，找店里比较有名的发型师，然后和他沟通，把你想要的感觉告诉发型师，请他帮你设计。

切忌将明星的发型搬到你的头上，因为每个人适合的发型都不一样。我有一个朋友长着一张国字脸，高大威武，他的偶像是罗志祥。有一次，他拿着罗志祥长发时的照片找发型师，说要剪和罗志祥一样的发型，发型师照做了，可是效果却不伦不类。

还有一点要注意，去做发型的时候，要尽量穿上能突显你气质的衣服。有些人穿 T 恤、短裤、人字拖去理发店，发型师会认为你平常就是这种打扮，会下意识地给你设计一种适合你现在打扮的发型。

脸部

首先是眼睛，主要考虑戴眼镜与否的问题。在我看来，中国大多数男生是不适合戴眼镜的，一旦带了眼镜就很难把自己的气质表现出来。眼睛是心灵的窗户，最好不要在窗户上装一块玻璃，阻挡人与人的交流。所以不管是为了什么，能不戴眼镜就尽量不要戴，近视的男生可以戴隐形眼镜或做手术。

往下是鼻子，主要是修剪鼻毛的问题。和女生互动的时候，如果你有一撮鼻毛露出来了，肯定会引起对方的反感。得定期修剪鼻毛，不要让它露出来。

再往下是胡子，胡子的情况因人而异，如果体毛旺盛就要定期打理，修剪出适合你的胡子形状就行了。有些人的毛发不旺盛，胡子稀少，会显得比较年轻稚嫩，这种男生可以往花样美男的方向发展。

最后讲皮肤，有些男生脸上长痘后会留下痘印，如果痘印严重就要医治，如果不严重，只要保持正常的作息，保持正常的内分泌状态即可。皮肤特别差的男生可以买面膜，学着做一些基础的皮肤护理。

身材

东方男生普遍偏瘦弱，如果身材特别瘦弱就很难搭配衣服了，因为你没办法把衣服撑起来，穿着衣服也不好看。对于身材特别瘦小的男生，我建议你多锻炼，持续一个月后你的身材就会慢慢健壮起来了，对穿衣搭配就很有好处了。太胖了更不好搭配衣服，最好是能做到穿衣显瘦、脱衣有肉。

气质

很多时候，男生之所以令女生感觉不好，多半是在气质上出了问题。你举手投足之间展示出来的信息就是气质。有些人，你看他第一眼就会觉得他是个高贵的人；有些人，你看他第一眼就会知道他不是你想打交道的人；有些人，你看他第一眼就会觉得他是很和善、很好相处的人，哪怕你从来没有和他说过话。

现在我教你怎么去调整自己的肢体姿势。

首先，背部贴着墙壁站好，你的脚后跟、肩膀与后脑勺都要触及墙壁，保持这个姿势，然后离开墙壁，不要改变姿势，在房里走一圈。在整个过程中，你感觉有根绳子牵着你的头，始终把你稍稍往上拉着。记住这种感觉，从现在起要定期检查自己的姿势，如果发现自己驼背就要赶快改正。

坐时，上半身挺拔，下半身只坐凳子的前半部，然后身体稍稍往侧后方靠。

时时刻刻要记着调整自己的状态，因为这是你气质的来源！当你坚持调整一段时间之后，你的身体就会记忆这种状态，以后不需要刻意调整，你都能保持这种有气质的感觉了。

气味

男生有必要喷一点香水。女生虽然不一定会因为你身上有好闻的味道而对你有特别的好感，但是绝对会因为你身上有不和谐的味道而感到反感。男生喷香水会让人觉得有品位，你只需要喷有淡淡清香味的香水就行了。推荐CK的Man香水，比较适合中国人。

服装

接下来是重头戏——服装的搭配。

市面上所见到的衣服都是由厂家统一生产出来的，目的是符合大多数人的需求，所以当你过胖或者偏瘦的时候，穿衣服的时候就会有不合身的感觉。

有两种选择衣服的方式：一是定做，如衬衫、西服、马甲等；二是逛实体店或从网上购买，售货员和网站图片都能给你一些搭配的建议。

我推荐预算不充足的男生选择第二种方式，这样不仅可以弥补你对服装搭配知识的欠缺，而且还可以节省大量的时间。平时你也可以多看一些时尚杂志，如《男人装》或者多浏览网店，逛得多了，你的眼界就开阔了，也懂得如何搭配了。

要提醒大家的是，一定要给自己准备几套适用于不同场合的衣服，如正式场合的、运动的、休闲的等，我们至少要准备4套衣服。

衬衫是男生必备的装备，不管是休闲场合还是正式场合，衬衫都适合，男生要对衬衫的穿搭知识有一定的了解。

衬衫分两种，一种是修身版型的，另一种则是宽松版型的。亚洲人适合穿比较修身的，因为亚洲人比较瘦小，修身的衬衫穿起来比较衬托身材。

在裤子方面，我们可以选择一些休闲的，如锥形的、铅笔形的，能把你的腿形显出来，比较性感。

配饰

当你穿圆领上衣时，可以戴一个较长的吊坠，在胸前形成三角形，整体会有拉长颈部的效果，会让你的脸显得较小。在选择配链的时候尽量不要黄色的，建议选择银色或黑色，会显得大气、上档次。配链不在多，而要选择上档次和有质感的。

手腕部光着也不太好看，如果有串手链或者手表就会好多了。可以在网上买到很不错的手链。一般要戴比较好的品牌手表，因为手表是一个男生身份的标志；如果我们的经济能力有限，戴手链就好了；如果有一定的经济能力，可以买一块比较好的手表戴。

很多人说自己不会搭配衣服，我现在和大家分享一个穿衣原则，按照这个原则搭配衣服，保证效果不会太差。

呼应原则，简单来说就是服装颜色必须要相互呼应。

当你穿一件粉色的衣服时，粉色属于亮色，要突出粉色，你就要选择一件暗色的裤子，如黑色或深蓝色的。另外，可以选择亮色的鞋，如棕色的，这样的穿搭效果就是相呼应的。

如果你穿商务套装，如深色西装、深色裤子。你就可以穿一件亮色的衬衫，如粉色、蓝色或白色的，不要选择暗色的衬衫，否则你会像个黑社会的人。然后配棕色鞋子、棕色皮带、棕色手表，这都是相互呼应。

只要按照色调一冷一热、一深一浅地搭配，整体就会比较好看，如图 2-1 所示。

图 2-1　服装整体搭配（服装由 AMH 男装提供）

男生最吸引人的地方，就是他精致的生活方式。男生不需要在打扮上花费太多的时间，但是如果连最基本的打扮都不愿意做，那你永远也无法成为吸引家。

作业

　　1. 看镜子，观察自己的脸形，思考有没有同类脸形的明星，他们是什么发型，然后去理发店，找到发型师，把你的想法说出来，请他帮你设计。

　　2. 身材瘦弱的兄弟，每天做20个俯卧撑；身材偏胖的兄弟，今天开始控制饮食，至少晚上不要吃太多。再也不要为自己的身材找借口了！

　　3. 练习站姿、坐姿、行走姿势，时刻提醒自己，直到养成习惯。

　　4. 逛网站，搜索你喜欢的服装搭配风格，看看模特是怎么运用呼应原则搭配衣服的。看得多了，你也就会了。

弱水三千，只取一瓢饮

上一节我们说到了如何通过形象改造提升自己的吸引力，当你有了足够的吸引力之后，身边的女生自然就多了，但并不是每一个女生都适合发展长期关系，所以我们就面临如何筛选的问题。筛选有两种方式，一种是强势筛选，另一种是间接筛选。

强势筛选

强势筛选是这样的："我喜欢……的女生，你符合条件吗？"口气十分强硬，像面试官在筛选面试者一样，会让女生感觉非常不舒服。除非这个女生已经给了你非常强烈的兴趣指标，已经表现出非常喜欢你了，你才可以考虑使用强势筛选，否则很容易引起女生的反感。总之，一定要慎用强势筛选。

间接筛选

而间接筛选就不同了，它既能达到筛选的目的，又能让被筛选者觉得你是一个非常不错的人，并且很乐意和你交流。所以间接筛选才是我们必须要掌握的技能。

间接筛选的步骤

第一步，确定一个要筛选的问题，通过讲述一个故事或者一段经历提出这个问题。

第二步，等她回应，如果她不回应，你就一直说下去直到她回应为止。

第三步，从她的回应中探索下一步的话题。如果她服从了筛选，就进入第四步；如果她没有服从筛选，那就说明你展现出的价值没有吸引她，所以你要退回第一步。

第四步，认同她。你要表达认同，因为筛选的目的之一就是表达你们是同一类人，只有同类才能互相吸引，这样你才可以名正言顺地喜欢她。

第五步，认同她之后推开她。为什么要推开她呢？目的是为了进行对她的下一轮筛选。

如果你一直认同对方，对方就很容易满足，你也没有继续下去的动力，你们之间的共同话题慢慢少了。你需要探索她的全部：生活习惯、性格、价值观、情感观等。

第六步，循环筛选或者进行筛选总结，结束筛选。

给大家举一个例子，如果我想对女生的运动观进行筛选，在聊天的过程中我就会有意把话题引到与运动相关的话题上来。

女生："哇，你看那个男生，好胖哦！"

我："对啊，他肯定平时很少运动。我之前在国外读研究生的时候，宿舍楼下就有一间健身房，里面常有很多女学生在健身。她们想让自己的身体保持一个健康的状态。我觉得这样才是比较好的状态，你喜欢运动吗？喜欢哪些运动呢？"

女生："我喜欢运动啊，最喜欢的是打乒乓球。"

我："真的吗，天啊，你居然也喜欢打乒乓球，这可是我从小到大唯一喜欢的球类！"

女生："对啊！我觉得打乒乓球不那么累，而且打乒乓球……"

我："嗯，下次打一局啊，你肯定赢不了我。"

女生："才不会呢！我的水平是很高的，我还拿过××奖呢！"

我："哈哈，我们打一次就知道你是不是吹牛了。说实话，早点遇到你就好了，否则我不至于那么久都没活动筋骨。"

女生："是啊，哈哈，咱俩的爱好居然是相同的。"

这就是筛选的前几个步骤了。

首先，我选取了对方话题中"身体肥胖"作为筛选的话题，说出了自己的想法，引导对方进入筛选，然后提出了我的筛选问题："你呢？你喜欢运动吗？"

同时我说出了自己的经历：我是从国外留学回来的研究生。这就向女生展示了自己的价值，同时我又说出了国内外的女生对于"健身"的态度，话题也生动有趣，果然引起了她的兴趣。

在这个地方，女生可能会给出两种回答，一种是顺从筛选，另一种是拒绝被筛选。

如果对方表示不赞同，说："健身很累、很麻烦。"说明我的这类价值没有吸引她，我应该尝试从其他价值展示入手吸引她，如开公司、写书、有车有房、幽默搞笑等。然后退回第一步，用新话题进行筛选。

在这个例子中，她给我的回答属于顺从筛选，她说喜欢运动，特别是乒乓球。我马上给予肯定，表示我们俩是同一类人。

之后我"推开"她，说："嗯，下次打一局啊，你肯定赢不了我。"女生接收到推开的力量，表达需求感，需要我认同她："才不会呢！我的水平是很高的，我还拿过××奖呢！"

我当然满足她的需求，然后表示赞同，提出下次邀约的话题之后，结束筛选。

这就是一个使用筛选技能的完整流程。使用这样一番流程，你会给女生留下深刻的印象，所以要多加练习掌握。

间接筛选的话题

了解间接筛选的方法后，选用什么话题进行筛选呢？这里给大家列出了筛选的几个方向。

旅游

旅游这个话题很容易引起情绪的共鸣，也是我们平时聊天最容易谈到的话题。你可以问女生对旅游有什么看法，喜欢不喜欢旅游，喜欢去哪里旅游，喜欢什么样的旅游方式，等等。

开店

几乎每一个女生都有开一家属于自己的小店的梦想。例如，在鼓浪屿、丽江、凤凰古镇或者自己的家乡开一家小书店、咖啡店、酒吧等。你可以把这个话题拿出来与对方探讨和交流。

价值提升

有关价值提升的话题对于年轻女白领是特别有效的，因为她们都有职业恐慌，想提升自己的能力，但又没有那么多时间与精力，所以心里积压了一大堆这样的想法。把这个话题拿出来和她们聊是很有效果的。

生活品位

例如，"你最喜欢听什么歌？是不是也有那么几首歌曾经让你深深触动过？"

举个例子。"最近很多人都在翻唱《我是一只小小鸟》：我是一只小小鸟，怎么飞也飞不高。这首歌唱出了很多人的心声，尤其是那种经历过创业，经历过孤独、艰辛、怎么飞也飞不高的那种状态，他们才能听得出这首歌的内涵。那些生活平淡、没有什么波浪起伏的人，是听不出这首歌深意感觉的。你怎么看？你喜欢听什么歌？"这就提出了我的筛选问题。

兴趣爱好

生活情趣就是养花、养宠物、喝茶、看书之类的活动。

我有一次对女生说："我之前又看了一遍《西游记》。"

她立刻问："《西游记》有什么好看的？"

我："因为我被另外一本书触动了，这本书颠覆了我对整个《西游记》的观念，就重新解读了一遍《西游记》，我终于明白这样一本神话小说为什么能名列'四大名著'。这本书是《揭秘取经门》，讲解了《西游记》里面深层次的东西，你喜欢看《西游记》吗？"

通过我的感悟带出了这个筛选问题，问她喜不喜欢看《西游记》，也就是问她是否有喜欢看书这个生活情趣。

家庭生活

家庭生活包括做家务、与父母的关系等。你可以这么说："你知道吗，我当时在国外留学时那叫一个惨啊！外国人比较喜欢吃面包、牛排这些西餐，刚开始吃时还好，后来就受不了，超级想念白米饭和炒菜，不得已就学会了做饭，你会做饭吗？你会做什么？"这就是"家庭生活"筛选问题。

长期关系筛选

基础筛选的目的并不是真筛选某个女生,而是在聊这些话题的同时,找机会让女生展现自己,然后通过认同女生拉近两个人之间的关系,让女生觉得两人是有相同三观的人。

基础筛选讲完了,接下来我们来讲一下长期关系筛选。长期关系筛选的目的是选择,是我们在找长期伴侣时使用的。

进行长期关系筛选之前,首先要详细设想你要找的伴侣,她身上必须要具备什么条件。如果是找女朋友,你要考虑对方身上需要拥有什么特质,如身材、样貌、性格、家务能力等。

如果是找妻子,你要考虑对方的家庭、工作和性格等,你要经过认真思考,才能在筛选女生时按照自己的期望进行。如果对方不符合你的标准,就不要继续投入感情了,要懂得及时抽身。

当然,你在筛选的时候,不要傻傻地直接说:"这些就是我选择女朋友的标准,要是你不符合这些标准,我就不与你玩了!"你需要委婉一些。

你可以对女生说:"我喜欢会做饭、做菜的女生哦,因为我觉得会做饭的女生都超级有韵味而且温柔,但是现在身边很多女生都不太会,那你呢,你会吗?"

女生要是回答"不会",你就可以打压她,让她来表现自己的其他方面来获得你的赞同。这样就又回到间接筛选的第一步。要是她回答"会"，那你就按照间接筛选的步骤继续进行下去。

如果使用的是"基础筛选"+"长期关系筛选"组合，那你筛选出来的就是女朋友或者妻子。

记住：如果女生没有通过你的筛选，故意说的与你的要求不一样。说明你的价值展示不到位，没有吸引对方。这时，你在这段关系中就要后退，继续展示价值，然后重新进入筛选的第一步，继续筛选，直到她通过你的筛选为止。

作业

1. 完成筛选练习，我身边的女生，尝试把这一套系统流程完整地练习一遍。只有当你完全练习过一遍，你才会真正体会这个技能的强大。

2. 把你对异性的要求用纸和笔详细且完整地写下来。这样你才能在与女生互动的过程中，更好地把握话题，做出筛选。

高价值展示，让女生为之疯狂的秘密

微信是一个重要的沟通工具，朋友圈更是一个重要的展示自我的窗口。有些人的朋友圈真是惨不忍睹，满屏不是《不转不是中国人》，就是《震惊！不点开你就亏大了！》要么就是感叹社会暗流等，总之，完全没有展示出自己的高价值。

有人问："还需要展示我的价值吗？别人看不到吗？"其实真没有那么简单。

如果你在饭店吃饭时点了一条鱼，老板直接从厨房后面捞了一条鱼摆在桌子上，你会吃吗？哪怕他说这鱼多么新鲜，你也不会吃的。因为这条鱼还没有经过加工，没有经过烹饪，就好像你自身拥有价值，如果不能很好地展示给你想要吸引的女生，她也不会接受你。

在讨论价值展示之前，我们首先要清楚什么是价值。

人类生来就有两种价值：生存价值和繁衍价值。人与人的交往就是在进行价值交换，如果对方不能给你提供想要的价值，你就会不自觉地疏远对方。

生存价值

生存价值是什么？顾名思义，生存价值就是首先保证你能活下来，其次是能够活得好，如获得经济独立。

财富

生存价值的第一个方面是财富。而财富本身也包括两种内容：第一种是你当下所拥有的财富，你的房、车、存款等；第二种是你创造财富的能力。

现在仍然有很多人看不起富二代，原因很简单，大家觉得富二代本身并不具备创造财富的能力，只能靠父母坐吃山空。所以看重独立和能力的女生就不会被这类男生吸引。

如果只是单纯拥有财富，却没有创造财富的能力，那么最终还是会把这些财富消耗光的，所以吸引女生的价值是创造财富的能力。拥有创造财富能力的人，就是我们常说的"潜力股"。例如，两个男生同时追求一个女生。第一个男生是个富二代，游手好闲，但可以在女生身上花很多钱，可以给女生买很多她想要的东西。

而第二个男生是重点大学毕业，现在正经营着一家贸易公司，因为公司刚成立不久，手头的资金很紧张，没有办法花太多的钱在女生身上。你觉得女生会选择跟谁在一起？

女生会选富二代吗？其实并非如此，如果你能让女生觉得你是个有潜力的人，哪怕你现在没钱而且很辛苦，女生也会愿意陪着你一起奋斗。

人们做选择时，都会偏向于选择有潜力的那个。因为和一个当下就拥有大量财富的男生在一起，女生是需要承担很大风险的：男生可以把钱花在这个女生身上，也可以花在另外一个女生身上；他老爸的公司要是不幸倒了，那他就会需要再次奋斗，甚至还要女生背负一些非议，如"傍大款"这一类。

和一个"潜力股"在一起，陪伴着他一起成长，意义就不一样了。在一个男生一无所有的时候，就陪在他身边，这是一件非常有意义的事情，一旦他成长起来了，女生在这段关系里就占据了不可替代的地位。

所以你应该不断向女生展示你是潜力股，但这种展示要注重方式，应尽量选择委婉的方式进行，具体方法将在后面介绍。

地位

生存价值的第二个方面是地位。什么是地位？地位就是你的人际和社交地位。

　　女生是社交动物，所以她们特别热衷于参加聚会，同时她们也喜欢关注在社交群体中拥有地位的男生，因为女生大都会对雄性领袖特别有好感，喜欢有领导力的男生。

　　那你应该如何展示你的社交地位呢？也不需要用太直接的方式，只需要通过照片等形式来展示就可以了，具体的高价值展示方式会在后文进行阐述。

繁衍价值

　　人的第二个价值是繁衍价值，也就是生育和培养后代的价值，让基因以一个更好的方式传递下去。繁殖价值包括 3 个方面。

身体价值

　　女生为什么喜欢保养自己的身体和脸，就是因为她们潜意识认为身体属于很重要的繁衍价值。从进化心理学的角度来说，男性择偶的标准之一就是女生的身材和长相，当她们的身材和长相足够优秀的时候，就会吸引男性。而这一切都是基于繁衍后代的需要。

　　同理，男性也需要将自己的繁衍价值展现出来，如展现健康的身体，跑步、健身、练习舞蹈等都是塑造和展示身体价值的行为。同时，我们也要向女生展示我们的外在，包括发型、气质、穿衣风格等，注重外形和整体气质首先能体现出对女生的尊重，其次也能体现出你是一个注意生活品质的人，这会大大提升你在女生心里的分数，因为女生会形成这种潜意识：跟这样的男生在一起，生出的孩子外形条件肯定不会差。

名声

要展现你的名声，你可以把过去的成就体现出来，如展示你和名人的合影、你获得的奖项和认可、你掌握的技能等。

你还要维护女生的名声。所有的女生都非常在乎自己的名声，这其实是一种人的本性，谁都希望自己给别人留下好的印象，女生面对的社会舆论压力比男生大，她们更希望维护自己的名声。

你可以通过行动和语言体现你对女生名声的维护，最糟糕的做法就是诋毁前女友。女生经常利用关于前任的话题测试男生，例如，她会问你："你为什么跟前任分手啊？"如果你回答说："哦，前女友啊，她性格很古怪，经常做一些让我抓狂的事情，总是无理取闹，导致两个人之间矛盾很多，所以不得不分开。"

如果这样回答，你在女生心里基本就只能得负分了，因为你在吐槽前女友，相当于毁坏了她的名声，那么面前这个女生心里就会想："我和你在一起之后，万一我们之间发生了矛盾，你肯定也会在另外一个女生面前说我，为了避免名声被损坏，还是不和你在一起吧。"

情绪

开心、快乐、积极、向上、乐观、开朗、幽默、风趣、迷人、悲伤、痛苦、刺激、兴奋……这些都是情绪，如果能够在正确的时候提供正确的情绪，对方就会开心，会感觉你懂她，会觉得和你相处很舒服。

经典电影《泰坦尼克号》就完美地展现了这一种价值表现的方式。女主角虽是贵族，却因为家庭的各种限制，情绪一直处于负面消极的状态。男主角是一个连三餐都无着落的"小混混"。一次偶然的机会，两人在船上偶遇，男主角带女主角尝试了非常多女主角以前没有做过的事情，如大声地对着天空喊叫、参加贫民的聚会活动和感受贫民之间的快乐等。在这个过程中，男主角给女主角带来了很多积极情绪，以至于他们仅仅相识了三天，就觉得找到了灵魂伴侣。这就是情绪价值所带来的力量。

我经过多年研究发现，有 3 种技巧可以向女生展示出各种各样的情绪价值。

展示技巧

第一个技巧：自信

什么是自信？对以前的事情不后悔，对现在的生活很满意，对未来有明确的规划。当你面对女生的时候，无论她如何嘲笑你，你都不会紧张与在意，这就是自信。

有自信的人是很少抱怨的，因为他能够解决自己遇到的一切困难，所以经常抱怨的男生很难吸引女生，因为女生更需要的是能鼓励自己，甚至帮自己解决问题的男生，这样的男生能给予她们更多积极的情绪。

你在遇到问题时，要沉着地提出自己的分析和解决办法，将自己和其他男生区分开来。当你提出解决方法时，能体现出一种对局面的掌控，这种自信的气场，让女生有一种安心的感觉。

不自信的男生会有哪些表现呢？例如，喜欢翻女生的包、翻手机、查信息，还喜欢问女生的情感经历，这些都是非常不自信的行为。和女生在一起，要体现出你尊重她、理解她、愿意给她自由，这样才是一个自信的男生应该有的风度。

第二个情绪技巧：预选

预选就是让女生感觉到你身边不乏异性，制造出一种危机感。举个例子，你正在和女生约会互动，突然有另一个女生给你打电话，然后你就自然地接了，挂了电话后，身边的女生听到电话里有女生的声音，肯定会忍不住问你和谁通话。这就是预选在起作用，让女生产生了好奇以及一点点嫉妒的情绪。

你可以对女生说："是我老板的女儿，老板一直想让我和她在一起，我也不知道怎么拒绝，没办法，所以我只能先拖着她，之后再看怎么解决。"

你这么说之后，女生就会觉得你身边有其他高质量的女生存在，并且还在追求你。那她会觉得你肯定是个不错的男生，既然你是个高质量的男生，那么我就可以尝试和你交往，毕竟谁都不想错过好男生。

另外，有些男生会错误地使用这个技能，认为预选就是故意在一个女生面前和其他女生玩暧昧。有一个学员，曾当着女生的面和其他女生在电话中说了很多暧昧的话，那个女生回去就把他拉黑了。事后学员跑来问我到底哪里出了错。我告诉他："这不是预选，是花心。表明你身边有异性围绕，其中很多对你有好感，但你都不喜欢，这样才是预选。"

第三个情绪技巧：表现挑战性

你要表现出你的挑战性，特别是在交往初期。"得不到的永远在骚动，被偏爱的都有恃无恐"这句歌词表达的就是这个意思。轻易得到的东西，人们不会珍惜，而对需要争取的，才会特别在意，所以我们需要具备挑战性。怎么做才能让女生感到有挑战性呢？

第一点，不轻易给予

很多男生追女生时喜欢送礼物："我给你买……""我给你送……""你想吃什么，我买给你""你想看电影我给你买电影票""你想逛街我陪你去"……对女孩子有求必应，这些都是非常没有吸引力的行为。你这么轻易地给她，她会觉得没什么意思，甚至会看不起你，也就是大家常说的太容易得到的东西不会珍惜。

第二点，不轻易接受

你正在忙工作的时候，突然接到心仪女生的电话："今晚参加我朋友的生日聚会吧"或者"明天陪我去逛街吧"，然后你马上答："好啊好啊。"然后丢掉手头所有在忙的事情，去陪女生了。这种行为把你的需求感暴露得非常彻底，也体现出你是一个特别闲、没有自己生活的人。我建议可以偶尔这么说："我现在还不确定哦，刚好我团队今晚有个重要的会议，要安排一下时间，我尽量好吗？"这样才是正确的方式。不要轻易接受女生的邀请。

第三点，不轻易表明态度

很多人喜欢一个女生之后，就会对这个女生说："我喜欢你，你接受我吧，做我的女朋友吧。"这些都是非常明显的态度，要尽量避免。甚至有时女生问你喜好的时候，你也可以以调侃的语气来回答，不需要有问必答。

如果你能做到以上三点，那么你整个人就充满挑战性。当你身上充满挑战性的时候，女生的情绪就会产生非常强烈的波动。你带给女生的情绪价值也就非常大，对女生的吸引力也会直线上升。

大家已经了解了价值包括哪些方面。那么应该通过什么方法展示你的价值呢？

展示价值的方式

展示高价值是一种能力，但是很少有人知道正确的方式。我们身边总有人整天说他家里面有什么厉害的人物，有多厉害的朋友，多厉害的过去。这种话最容易引发反感了，给人一种炫耀、显摆的感觉，当然会让人厌恶。正确的展示应该是四两拨千斤，主要有以下5种方式。

让她亲眼看到你的价值

财富，让她看到你现在拥有的东西，如房、车、名表、单反相机等任何能够展示你财富的物品。

地位，让她看到你的社交能力、你与其他人在一起谈话的状态、你与他人共事的态度、团队掌控能力等。

身体，你拥有的良好身材，可以通过秀照片或是穿衣风格来让她看到。

以上是价值展现最好的方式，眼见为实，这些都是她自己看到的，自然毫不怀疑。

让她从她的熟人那里听到你的价值

女生一般都有闺蜜，遇到什么事情都会和闺蜜商量。所以你如果想追到女生，就要和她的闺蜜打成一片，让她的闺蜜和你站在一条战线上。

你可能遇到过这样的问题：你约女生出来，女生答应了，但坚持要带自己的闺蜜。很多男生会觉得那个闺蜜是个电灯泡，约会过程中一直想找个机会把她打发走，这是非常错误的。因为闺蜜是女生获得情报的重要来源，如果你在她闺蜜心里留下了好印象，那么她们回去谈到关于你的话题时，说好话的概率就会大大地增加，那你在女生心目中的好感也会持续增加。

让她从你的熟人那里了解你的价值

举个例子，你想告诉女生你买了一辆跑车，如果由你自己说出来，女生容易感觉你在炫耀。但是如果你的一个朋友说："幸好这次是坐着你新买的跑车过来的，不然肯定赶不上聚会了。"这时候女生接收到的"你有跑车"这个信息，就会显得可信、自然、容易被接受。

女生还能够通过观察你和朋友的交谈，体会你在朋友心中的地位。所以在聚会之前，你可以和朋友商量一下聚会时要说什么，绝对不能去打压对方。你要和朋友共同作战。通过身边人的嘴，把你的价值告诉你心仪的女生。

让她从其他渠道了解你的价值

了解一个人的渠道有很多，如微博、QQ 空间、朋友圈、网站、之前的作品等。所以我们展示价值时也可以采用很多种形式，例如，通过照片、文字、小视频等。这就突显了打造社交平台的重要性。打造自己的社交平台可以从以下三个方面入手。

第一，在博客或者 QQ 空间里面分享自己的生活状态，但一定要是正能量的，不要放负面的消息，如失恋了、难过了、讨厌谁、抱怨谁，尽量不要出现这些信息。

第二，围绕你的某个兴趣。例如，你最近在研究法律，那就专门做一个法律的专栏，把你看过的法律方面的书、对法律行业的想法等都写进去。女生看到后，心里会想："哇，原来他对法律的研究这么深，感觉好厉害啊！"

第三，文学创作。例如，写小说、散文、日记或者其他形式的文字，这些都可以体现出你的内涵和思想。文艺女青年看到后，就会被你这些侧面展示出来的价值吸引住。

把你的价值说出来

通过自己的嘴把自己的价值说出来是非常需要技巧的。因为直接夸自己，很容易让人感觉你在吹牛，如果讲得含蓄一些，别人又不一定听得出来。所以你可以采用暗示的方式。

举个例子，如果你要展示自己对《西游记》这部文学作品的理解特别深厚，那么你就要利用周边的事件引入话题。例如，周星驰的电影《西游降魔篇》上映了，你就可以以这个事件为话题，把话题导入你要展示的价值。

你："你看了周星驰的《西游降魔篇》吗？"

女生："看了。"

你："我本来还以为这是一部喜剧，看到后面发现有点像恐怖片呢。"

女生："哈哈，对啊，后面的孙悟空确实有点恐怖。"

你："其实啊，原著里面孙悟空是没这么暴躁的，我在高中的时候已经看过这本书的原著了，孙悟空这个人是这样的……"

女生："哇！你知道得真多！"

这就是通过对方可能欣赏的事物引入你要展示的价值。这比你直接跟女生说你对《西游记》的研究非常深要好很多。

还有，展示自己的价值的时候，一定要分清对象。还是以展示你读书多这个价值为例。如果你面对的是白领，对她们来说可能比较有吸引力，因为她们每天都很忙，没什么时间看书。而你表现出你有自由时间，经常看书，就会吸引对方。但如果对方是一个大学生，你爱读书的价值和吸引力就大大降低了，因为她们每天都在看书。所以针对她们，你应该选择展示她比较少接触的方面。你可以对她说说外面的世界，展示你丰富的社会阅历，这样就可能吸引她。

简单来说，就是她不懂的事情你懂，她需要了解的事情你能提供，这就体现了你的强大价值。

作业

1. 审视自己

按照本章所说的这几个价值，好好想一想自己能拿出手的有哪些。

2. 打造自己的社交圈

在你的博客或者 QQ 空间里，写下和你自己拥有的价值相关的文章。你可以按照财富、社交、名誉和身体这四大类来写，每个星期写一两篇。

3. 与 3 个人聊天

继续跟身边的人聊天，练习本章的方式，在使用"思维风暴聊天法"的基础之上，加入暗示的方式展示自己的价值。

"废物测试"的12种破解法

通过前面的课程，相信大家已经知道：女生习惯通过各种手段、言语、肢体行为来测试男生。经过一轮又一轮的测试之后，她才能确定这个男生是自己想要的那一个。吸引学中我们将这种测试称为"废物测试"。

有一天，一个学员向我求助："潇邦哥，昨天晚上12点钟，我接到心仪女生的电话。她说她将从外地回来，让我去接她。我知道这个女生去外地是为了看前男友。那时我应该睡觉了，我要不要去接她呢？"

我告诉他不要去，他不明白："为什么呢？如果这个时候我不去，以后肯定就更没有机会了。"

我相信大多数男生都是这样的想法。很明显，这属于劳务型废物测试。这样下去，你肯定会沦为"备胎"的。

女生在什么情况下会选择进行废物测试呢？你的价值展示不

到位，女生就会对你的价值产生怀疑，所以就会不断地通过"废物测试"来测试你，如果你一不小心中招了，你和这个女生的关系就很可能越来越远了。

但同时，女生对你进行废物测试，也在一定程度上表明她对你感兴趣，因为她测试的目的是为了寻找理想的男生，她希望通过测试，检查你身上有没有她要的品质。

很多男生分不清女孩子的哪些行为是"废物测试"，所以我先对"废物测试"做一下分类和梳理，一共有 12 种。

劳务型废物测试

这是最常见的"废物测试"，女生会理所当然地让你帮她干活、为她付出。例如，"帮我修修电脑吧""来机场接我吧，我好累啊""你帮我拿一下这个吧！好重"，等等。大多数沦为"备胎"的男生都会选择有求必应，感觉拒绝女生的话说不出口。那么如何应对这类型的测试呢？解决的办法有三种。

第一种：要求对方交换劳动

如果女生要你帮她修电脑，这时候你可以回答："好呀！可以，不过你要怎么报答我呢？"

女生可能会说："你怎么这样，人家女生要你帮忙还要回报。"

你："那当然，你不给回报谁帮你干？你帮我洗了这一堆袜子吧！正发愁着一堆袜子没人洗呢！"

女生："你讨厌啊！……"

两个人之间就这么产生了一系列对话，情绪也被调动起来了，同时你也很巧妙地拒绝了对方。当然，如果她真的帮你洗袜子，那你就可以帮她修电脑，这就是劳动交换。

第二种：要求对方对你进行"肢体进挪"

同样一个问题，你可以回答："好呀，可这是个劳累活啊！最近没睡好觉，肩膀好酸，给我按按肩膀呗，听说你的技术不错！"这就是要求"肢体进挪"。

第三种：要求对方的物质回报

还是同一个问题，你回答："好呀！最近不知道为什么好想吃川菜。对了，咱公司对面新开了一家川菜店。"

女生："哈哈哈，不就是想让我请你吃饭吧，真讨厌。"

通过这种方式说出来之后，你与女生之间就不是单纯的劳务型测试关系了，在通过测试的同时，两个人的关系更加亲密了。

金钱型废物测试

女生会要求你一直为她花钱，买买买。很多男生在这个"废物测试"中中招，损失巨大。

在通常情况下，她会对你说："我快过生日了，你打算送什么礼物给我呢？"抑或是她和你逛街时，一直说看中了这个，看中了那个，又说"哎呀，我没带够钱怎么办啊"。这都是金钱型废物测试。

见到这类测试一定要拒绝，金钱关系就是两个人关系不健康的开始。如果你表现得对金钱毫不在意，女生要什么你就给什么，那她会想从你这里获得更多。这时候我建议拒绝她，不用跟她说其他的。

当然，直接说没钱，态度就比较强硬，只针对那些要求很过分的女生。对于那种要求不那么过分的女生，我们可以用软一点的方式拒绝。例如，用劳务交换，如果女生要求的东西价格可以接受，你可以说："好啊！你来帮我拖拖地，我家里已经好久没拖地了，你拖完地我就去给你买。"

外貌型废物测试

女生一定问过你这样的问题："你觉得我今天漂亮吗""你觉得我的这件衣服怎么样""你觉得我的这个口红好不好看"等，这些都属于外貌型废物测试。她的目的是引导你暴露需求感，引导你放大对她的喜欢，从而对她投入更多。建议应对方式是夸张荒谬，你可以以"漂亮，不错啊！比凤姐漂亮多了""身材好啊，可以卖钱勒，但是肥肉少了一点，口感肯定不好，唉……"

等轻松幽默的方式去应对。

关系型废物测试

例如，"你想做我的男朋友吗""你喜欢我吗""你是不是想追我呀""你是不是对我有意思啊""你是不是有什么话要对我说啊""喜欢我你就说嘛"等。女生说这些极有可能是在做关系型废物测试。

所以，当你满心欢喜，想着今天终于有机会表白了，然后克制不住内心的激动向女生表白的时候。迎接你的不是她的"我愿意"，而是漫长的继续单恋，因为她的目的只是引导你暴露需求感。你可以这样回答："哎呀！你怎么这么急？你们女生脑袋里老是想着这些东西。"

打压条件型废物测试

女生经常会说"我不喜欢胖的""不喜欢学历低的""不喜欢年龄大的，不喜欢矮的"等，说出这些话，并不代表女生真的不喜欢这种男生，核心本质是测试你够不够自信、价值够不够高。

反驳或者迎合女生都是错误的。

你回答说："不会啊，我不是胖，只是壮。而且我正在控制体重呢！很快就会不有这么多肉了。"这是很明显的错误回答方式，没有办法和女生互动，更没办法调动两人的情绪。

你可以这样回答："对啊，这就是我的追求，我最近正准备向国际相扑界进军，你有没有什么好建议？"

打压关系型废物测试

例如，"我觉得咱俩不太适合""我们没有共同语言""我有男朋友了""我现在还不想谈恋爱""我们做朋友好些吧"等。这些都属于"打压关系型废物测试"，当她做出这个测试的时候，就表明你在没有足够吸引她的情况下，过早地暴露了你的需求感。

面对这些测试，你不宜太过暴露自己的态度，只需调侃而过就可以了，进而展示自己的价值，这样才能吸引对方。

女生对你说："我有男朋友了。"

你回答："男朋友？我又不是要抢你的男朋友，你害怕什么？"

自我打压型废物测试

例如，"我长得不好看""我这个人比较懒""我很笨""我有点胖""我脾气不太好"等，这些都是自我打压型废物测试。

如果你回答说："我觉得你挺漂亮的啊""你不懒啊，挺勤快的"这肯定是不行的。当然如果你简单地表示认同，结局会更惨。我们可以这样回答："唉，看来你得向我交点学费了，我得好好教教你了""来，拉出去枪毙五分钟再回来""没事，胖才好啊，现在猪肉都涨价了，你肯定能卖个好价钱"。

话题型废物测试

女生非常在意的一个问题：这个男生到底是爱我还是想搞一夜情。所以她们会不断测试你，你千万要控制住自己，不要女生主动聊性话题，你就马上把自己的需求感暴露出来了，表现得非常主动。如果女生以为你在性方面十分饥渴，会觉得你不是真的喜欢她。这时候她就会对你嗤之以鼻，觉得你非常恶心和讨厌，你肯定就没有希望了。

示弱型废物测试

例如，"最近都没人关心我啊，你看情人节都没人陪我""你看我生日都没人送我礼物""我病了，你要不要来看我""最近一个人，好难受"等。这些都是为了博取你的关心，诱导你付出。

通常很多男生会这样回答："没人关心你，还有我啊""既然没人陪你过节，那我就勉为其难陪你过吧""生病了？那我马上来看你"。这些都是不对的，特别是在和女生交往的前期，需求感暴露得太明显，女生内心就会对你有一定的防备，然后迅速把你划分到"备胎"阵营中。

外部关系型废物测试

例如，"最近有一个男生在追我，我不知道该怎么办""最近家里给我介绍了一个相亲对象还挺好的，但是我没接受""我最近在隔壁班看到一个男生好帅啊"等。这些都是为了测试你的坚定性以及企图引导你表白。

我们可以这样应对："这么厉害，看来你的魅力还挺大的嘛！你把这男生的详细信息告诉我，我来帮你分析筛选一下，看他到底合不合格，给你把把关。"

示好型废物测试

例如，"你口才太好啦""你真棒""你好幽默"等。一般男生听到这样的话都会觉得有点不好意思，说："没有没有，还好啦。"其实我们不必要谦虚，就直接认同她的观点，表现出你强大的自信。你可以这样应对："哎呀！我隐藏得这么深还是被你发现了。"

将来型废物测试

例如，"如果一年之后我还没有男朋友，那我们就在一起""等我忙完这段时间，就和你……"等。这其实就是拒绝，千万不要以为女生在给你机会，就傻乎乎地一直等下去，只会浪费你的青春和宝贵的时间。

已经给大家分享完"废物测试"的类型了，正确的应对思路在文中也有提及，这里做一个总结。

第一步，展示你的自信，让对方认可你

一个男生的自信表现为对过去不后悔、对现在很满意、对将来有规划。

第二步，推向荒谬

这会让女生觉得你很幽默，而且还能化解"废物测试"带来的尴尬与不愉快。

第三步，反测试，把"废物测试"反过来用在女生身上

例如，"你说这些话就是为了引起我的注意吗""你观察我观察得挺仔细的，不会是喜欢我吧"等。

记住，女生给你做"废物测试"的时候，并不是想要你给她言语上的答案，女生是为了从你身上发现她们所想要的价值。当我们熟悉了这些测试之后，就可以反过来对女生进行测试与筛选。

说到反测试，很多男生都会有一种"女神病"，觉得这个女生高自己一等，是自己的唯一，只要能够和她在一起，无论付出多大代价都可以。不敢调侃女生，不敢跟女生开玩笑，不敢……其实没必要害怕对女生进行调侃、打压。女生把"废物测试"用在男生身上可以得到她们想要的东西，那么我们把"废物测试"反过来用在女生身上，也是一样的目的，所以不要有太大的心理负担。

在这里提醒一下大家，很多人学了打压、"废物测试"之后，就随意对身边的人使用，导致自己的人际关系变得恶劣，所以不要随意使用这些方法，要注意场合和分寸。

作业

1.观察生活中的女生朋友是怎样把12种测试用在男生身上的，你就会掌握这些技巧，以后在和女生交流的过程中，只要她一说出这个测试，你马上就能想到应答的方法，这样就能在与女生的交流中立于不败之地。

2.继续前面的练习，没写完女生爱问的5个问题的男生，一定要认真思考，利用三分法写出来。

3.每天接触3个陌生人，消除你的接近焦虑，对以后学习搭讪有很大的帮助。

肢体进挪，一个眼神撩到女神

我曾经收到一个学员的求助："潇邦哥，为什么我跟她的关系没办法继续推进了，各种话题我都和她聊了，包括很私密的话题，但是我总感觉关系只停留在表面，没有办法推进。"

其实这个问题十分普遍，很多男生使用了前面所有的聊天方法，和女生的关系却始终无法继续深入，只停留在互动表面，没有实质进展。

人与人之间的交流，不单单局限在言语之上，还有更重要的，就是我们的肢体语言。我们今天要讲的内容就是，用肢体和对方交流、接触，从而使双方的关系更加深入。也就是吸引学上的肢体进挪，简单来说就是如何一步步和女生发生肢体接触。

为什么要进挪

从恋爱学、吸引学上来讲，进挪有以下几个目的。

让女生对你的触碰产生一种舒适感

很多人以为在聊天软件上和女生聊得非常开心，就代表他和这个女生的关系非常近。其实并非如此，因为你没有和女生见面，没有过实际语言和肢体上的交流，单纯靠网聊来拉近关系是非常有限的。很多男生觉得在网上和女生聊得很亲密了，就可以随意进行肢体接触，于是把女生约出来一见面就搂上了她的小腰，马上招致女孩子的反感。肢体进挪是需要一步一步来的，从手，到手臂，到肩膀，你一上来就搂腰，在女生心里你无疑就是色狼。

激起女生潜在的投资

为什么这么说呢？因为女生允许你触碰她的身体，这就代表女生并不抗拒你。然后可能她还有些许期待，期待你继续触碰，把你们两个人的关系进一步升级。

从价值交换的角度来说，这是女生利用她的繁衍价值交换男生的生存价值，她允许你对她进行亲密的肢体接触，就表明她把自己的繁衍价值投资在了你的身上，当女生开始对你进行投资时，就表明你们之间的关系正在升级。

表示你潜在的性意图

肢体进挪存在一些性暗示，但又不那么明显，你通过这些小的肢体接触展示出你的性意图，等于提前告诉女生你有这方面的想法，不至于最后引起女生强烈的反感，其实也是一个试探的过程。很多男生在一开始就将这种强烈的性意图展示出来，引发了女生的反感和不安全感，觉得你对她根本不是真爱，这也是绝大部分男生容易犯错的地方。

到这里，你已经知道肢体接触的重要性了，我们应该如何进挪呢？掌握下面几个原则，你就能轻松运用了。

进挪的原则

自然

什么是自然？举个例子，很多男生想牵女生的手但又不敢时，扭扭捏捏，最后还要专门问一句："我可以牵你的手吗？"这就是不自然！自然的做法就是不刻意询问，而是让它顺其自然地发生。

过马路的时候，车来车往，这时候你自然地抓住她的手说："走。"或者你可以跟她玩游戏，让她在你背上写字，让你来猜那是什么字。天冷的时候你可以说："哎呀，天气这么冷，你冷吗？"然后你握着她的手感受一下："唉呦，你的手真冷！"

上面这些都是非常自然的"轻度肢体进挪"的例子，大家可以在平时留心观察一下，你会发现生活中有很多的机会，可以非常自然地和对方进行肢体接触。

很多男生从电视剧、电影里面学到了一些霸道总裁式的肢体接触方式，这些在实际生活中是不适合的。例如，很多男生在和女生约会的时候没有肢体接触，等到最后要告别时才心想："哎呀，我约会一整天，还没有牵手，太亏了。"

所以，当送女生到家门口的时候，就会强抱甚至强吻对方，这些都是非常错误的行为，会引起女生的反感。因为在此之前没有任何的肢体接触，直接升级到接吻会让人感到极不自然。

平衡

肢体进挪的时候，要记住一个原则：说了就不要做，要做就不要说，即你嘴里说的和你即将要做的尽量不统一。例如，你对女生说："哎呀，你敢打我，我也要打你。"然后装作要打她的样子，但其实你并不会真动手。

我们在过马路的时候最常使用这个方式。你假装专心地观察左右两边的车流，一只手快速地牵起她，然后说："车很多，快走。"这样，女生一般不会很抵触，但是如果你一直在纠结要不要牵手，或者刻意询问女生，都会显得不自然，而且肢体接触的机会很小。

自信

什么样的人喜欢主动触摸别人呢？举个例子，在公司上班，领导拍下属的肩膀是非常正常的，但你见过下属拍领导的肩膀吗？

所以，主动去触摸对方，会透露出一种你比对方更高层次的心理暗示。

很多人在进挪的时候会纠结：要不要肢体接触？如果对方拒绝了，自己岂不是很没有面子？等等。当你的行为变得畏首畏尾，担心女生觉得你的行为不好拒绝你，你的思前想后会影响到你的行为，会让你的行为显得非常不自信，甚至有些猥琐，使女生产生不舒适的感觉，所以一定要表现得非常自信。

自制

在进挪的时候，不要等对方感觉你的进挪过度了的时候，你才抽离，你应该要主动离开。

例如，你第一次握到了女生的手时，握上了就舍不得放开。其实这是不对的，尤其是刚开始和女生接触的时候，随意触碰一下是没事的，但是你如果一直握着不放的话，女生心里就会不舒服了。

所以，前期和女生互动的时候，你一定要主动触碰对方，然后主动退开，这就是自制。除此之外，如果女生喜欢开玩笑地打你、触碰你，你就说："你一直这样摸我，我可是要收费的啊。"

你可以通过这种方式，让对方肢体进挪达到自制，同时展现了你的"被追逐框架"。

还有一点，在进挪的过程中一定要观察女生的回应，然后根据对方对你每一步进挪的态度和反应，来决定你的下一步肢体动作。

例如，你牵女生手的时候，你要看她有没有反抗，有没有回握你的手。

你牵对方的手，她有回应了，你才能去搂她的肩膀；搂她的肩膀她有回应了，你才能去搂她的腰；搂她的腰她有回应了，你才能和她正面拥抱。大家知道进挪的原则之后，接下来学习如何进挪。

具体操作方法和步骤

肢体进挪的具体操作方法可以划分为 3 个层面。

第一个层面是公共区域，即大家可以碰的地方，如肩膀、手臂外侧等。

第二个层面是私人地带，即只有亲密的人才能接触的地方，如腰、脸、头发、手等。

第三个层面则是私密地带，即女生的性感带，如胸部、大腿内侧、臀部等。

我们在进挪的时候一定要逐步升级，没有突破第一个层次，就不要进行第二个层次。举个例子，你要摸她的头发（私人地带）。如果你们之前没有情感基础，而你也没有触碰过她的公共区域，就直接摸她的秀发，这就属于进挪过度了，会让女生对你产生反感。

我把进挪分成 4 个步骤，只要按照这 4 个步骤来进行，就能降低女生的抵触情绪。

第一个阶段是触碰她的肩膀和手臂

这个阶段的要点是以触碰为主。短暂的接触我们称为触碰，建议前期接触时，每次进挪时间不超过两秒。

例如，两人见面时，你可以说："你今天看起来挺有气质的哦！"拍一拍她的肩膀，然后做出惊讶的表情，捏一捏她的手臂："哇，你真的好瘦／有肉感啊！"这就是肢体进挪的第一阶段，目的是在对方不觉得在很突兀的情况下触碰她的身体，让她的身体对我们的触碰产生熟悉感。

第二个阶段是接触她的手掌，如牵手（包括十指紧扣）

这一阶段的要点是以停留为主，要停留一段时间。与女生牵手就是我们完成第二阶段的标志。

怎么做呢？例如，你们在逛街，街上人潮汹涌，你就直接抓住她的手，说："跟着我走。"或者在互动的时候，你突然说："咦，我看看你的手，你的生命线／情感线／事业线好奇怪啊！"然后拿着她的手研究，边研究边用冷读术。

第三个阶段是搂肩、搂腰、拥抱，再到亲吻

这一阶段的要点是以舒适感为主。首先要选择或营造一个温馨私密的空间，因为这已经涉及女生的私人地带了，一定要让对方感觉不唐突，感觉你不是色狼、不是在占她便宜。

这里有一些很好用的亲吻小招式，你们可以试一下。例如，"我的眼睛进沙子了，你帮我吹一下。"在她吹的时候，就迅速亲一下她的嘴巴。女生生日的时候，你说："你先闭上眼睛，我给你礼物。"等她眼睛闭上之后,你就可以迅速亲吻她。女生可能会感觉非常惊讶,这就制造了一种情绪的波动,让她很长一段时间都难以忘记。

一般来说,女生与你进入接吻的阶段,就表示她即将成为你的女朋友了。

第四阶段是接触私密地带

这一阶段的要点是以"诱惑"为主,也就是我们在接触女生这些私密地方的时候,一定事先做好足够的"诱惑",否则容易被当成色狼和变态哦!

接下来,我要跟大家说一下肢体进挪中常犯的错误。

进挪禁忌

第一,进挪过度

进挪过度,即不按步骤,即没有经过公共区域就直接进入私人地带,甚至私密地带,这是不对的。如果你跳过了某些阶段,女生就会感觉很唐突,会认为你把她当作一个很随便的女生。所以大家一定要记住:你可以在平级中递进,但绝对不能跳跃。

第二,错失机会

很多男生其实都经历过这种情况,总是拿不定主意:"这个时候该不该牵手？该不该碰她？该不该亲吻？"多想两遍时，机会就没有了。该牵手的时候不牵手，该搂腰的时候不搂腰，该亲吻的时候不亲吻，结果只能是该在一起时没在一起。

第三，进挪时间过长

牵手的时候一直牵着对方的手，舍不得放开；亲吻的时候也舍不得立刻分开。对方会觉得你是色狼，特别是在与女生交往的前期，很明显是没有遵守自制原则。

作业

练习之前教的聊天技能，然后尝试在聊天的过程中触碰女生。你可以边聊，边琢磨什么地方可以触碰。一般这个时候只能触碰公共区域，思考得多了，你使用得就自然了。

已经跟女生发展到约会阶段的男生，尝试安排一次约会，把所有肢体进挪步骤练习一遍。

内向的你格外迷人

我见过很多学员为了性格而苦恼，无一例外，这些学员都很内向。因为内向，他们不敢开口向女生表达自己的爱；因为内向，他们和女生的进展总是很慢；因为内向，他们总是在偷偷地付出，却得不到回报……所以他们非常羡慕外向的、能说会道的男生。

我非常理解他们，因为在很多年前，我也是他们其中的一个。但后来我发现每种性格都有自己的优势和缺点。事实上，性格外向的男生在追女生的时候，同样也会遇上其他问题。所以内向本身并不是什么缺点，最主要的是你要学会接纳你自己，然后提升自己，发挥你的性格魅力。

内向男生在恋爱中的最大问题是不善表达。因为女生大多喜欢会说甜言蜜语和有领导力的男生，而内向的人在这方面比较欠缺。但只要安装上一些性格补丁，就能立刻提升你的魅力，让你原有的性格特征散发光芒，创造出女生无法抵挡的魅力性格。所以，任何性格的男生都是可以吸引女生的，无需自卑。

补丁一：每天换不同风格的衣服

例如，星期一穿白衬衫，星期二穿嘻哈风，完全颠覆你之前的形象。而到了星期三，你又西装笔挺，星期四穿皮衣，星期五又变成韩国花样美男，这里只是简单举个例子，关键不是一定要穿哪一种衣服，而是每天有一种不同的形象。昨天让人觉得你是一个专业的程序员，第二天你的形象就变成了一个DJ、一个嘻哈族或一个运动型男生。

当你每天换一种反差很大的穿衣风格时，会让女生摸不着头脑，对你产生强烈的好奇，甚至还会主动找你搭话。

当然我也不是让你胡乱穿搭，建议看一些时尚网站、时尚杂志，选择那些和你平时风格相反的衣服，未必非常夸张，未必非常昂贵，但要注意衣服的大小尺寸一定要合适，并且色调和谐。其他需要注意的地方请参考"形象改造"那一章。

补丁二：买个样式特别的手表

我以前有一只手表只能看到圆盘的一半，所有的指针都在右边。一个女生在食堂吃饭时看到我的表后很感兴趣，问我怎么看时间，最后她成为我的女朋友。这类装饰都是能够利用的道具，能轻松地让女生和你主动说话。

补丁三：学会喷香水

建议买淡香型香水，在锁骨处稍擦一点（让女生走近才能闻到），也可以在膝盖后面喷一点香水（这样你站起来走动的时候，坐着的女孩也能闻到）。

擦香水是有技巧的。男生喷香水的正确方法：把喷嘴对准你的左手食指，贴住你的食指，然后在你食指内侧从第二个关节开始，用你的香水稍稍留下一条水印，然后把这条香水痕迹在你右胸锁骨下面1厘米左右的地方，沿着锁骨画一条线。划完之后，你手指上还会有一点香水残留，这时再把它抹到你右手的手腕内侧。然后，再用你的右手食指重复一遍，擦你左边的锁骨和手腕。

如果你想让味道浓一些，还可以在你的后颈，那个最突出的骨头下面抹一条香水。

补丁四：换社交平台签名

用 QQ 或者其他社交软件时，可以通过更换签名的方式分享你的生活状态。为什么不发状态，而只是更改个性签名呢？很多性格内向的男生都不习惯分享生活，而更改个性签名会更容易操作一些。

例如，我现在 QQ 签名就显示："潇邦——正在写书，晚饭还没吃。"我 QQ 上有位女生好友显示的是："李瑶知马力——我的电脑中毒了，正在设法修理。请大家注意，不要点击链接。"

但到底写什么，这是有门道的！

首先，写什么内容好？

最好的内容就是写你去干了什么有趣的事，例如，

潇邦 —— 昨天去击剑了，差点被刺伤

潇邦 —— 今天是我第 999 次逃课，纪念一下

潇邦 —— 刚才把我写的书放在浴缸里烧了，火好大

潇邦 —— 去骑马，结果马在我腿上撒尿了

潇邦 —— 从海南回来了，还钓了一条大鱼

潇邦 —— 今天遛狗，竟然看到有人在遛猫

这些内容对女生很有吸引力。她们看到后会发个信息问你怎么回事。但更重要的是，如果你每天换一条状态，即使你没和女生说话，但只要她能看到，这就暗暗传递给她一个信息——你过着多姿多彩的生活。

当女生连续一个星期看到你每天的经历那么有趣，有这么精彩的人生，她自然而然会联想：如果我和他谈恋爱，我的生活是不是也一样有趣？

而你只要在你的 QQ 里改一改状态，在一段时间后，就能达到

这个效果。

补丁五：问女生问题，让女生说，你听

既然你内向，不爱说话，那就让女生多说就行了。反正大多数的女生都喜欢说话，她们需要一个很好的聆听者。

很多男生只知道如何表现自己，特别是那些能说会道的、认为自己很幽默的男生，会对女生不停地说，而不在乎女生到底关心什么，不在乎女生到底想说什么。这反而会弄巧成拙。

如果你能成为一个很好的聆听者。你会发现，女生会一下子把自己的话匣子打开。

怎样打开女生的话匣子呢？用思维风暴聊天法。思维风暴聊天法的3个层次能帮助你和女生聊天，推进关系。这个技巧对内向的、不善言语的男生来说可能是最重要的技巧了。

你也可以学会那些人的能说会道，再加上善于聆听的优点，那将如虎添翼。我总结出来一套能和女生不停地有说有笑的方法——关键词技巧。这个关键词技巧就是思维风暴聊天法的第一层次，你可以翻到之前的章节复习一下。

补丁六：学习好的身体语言

虽然内向男生不擅长口头语言的表达，但完全可以利用非口头

语言的沟通，即用"潜沟通"吸引女生。多数女生被男生吸引是通过和男生的沟通。而这种沟通只有33%是通过语义、语音和语调表现出来的，而其余的67%靠的是肢体语言，以下是几条需要牢记的秘诀。

肩膀要放松。女生其实很注意男生的肩膀是否紧绷，如果你的肩膀一直很紧绷的话，女生会觉得你紧张和无趣。

当你和很多男生在一起时，如果你的动作比其他男生稍微稳重一点，女生就会觉得你的社交地位比其他男生高，就会本能地觉得你更加有魅力。例如，坐电梯时，你走进去的动作，你的脚，你的手，你的身体，只需要比其他人稍慢一点点，就可以让女生注意到你。

类似这样微小的身体语言，女生都是极其关注的。你可以在不用对她说一句话的情况下，就让她被你吸引。

以上6个补丁能很好地帮助你解决自己的短板，多多练习来提升自己，就算是性格内向的男生一样可以闪闪发光，吸引到心仪的女生。

约会这件大事

有一个学员，29 岁了还没谈过恋爱。家里安排相亲，他就和女生见了一次面，之后就没能继续下去了。于是，他向我们求助，我就让他描述一下当时见面的情况。

他："你在哪里工作？做什么工作？"

女生："我在 ×× 城市工作。"

他："你在那么远工作，你家里不担心你吗？"

女生："不担心啊，都这么大了。"

他："哦，那我没钱你会喜欢我吗？现在钱太难赚了，很多女生都看不上我，我还看不上她们呢，要求那么高，要买车、买房，我哪里买得起？我在工厂工作，哪有那么多钱，要买也得以后才能买啊。"

他："对了，你和你的前男朋友为什么分手？我觉得女生换太多男朋友不好，年纪大了，担心嫁不出去了，感觉不好受的。"

很明显这是一个非常失败的约会。因为他总是聊女生不喜欢的话题。也可以看出，约会对于追女生来说是多么重要的大事。

约会是一个漫长的过程，这个过程中不可控的因素太多，很容易犯错，金融界流传着一句话：当你意识到了风险，风险就已经被你控制了一半。首先我们要总结约会过程中常犯的错误，尽量避免。

约会中易犯的错误

太刻意

拿邀约来说，很多男生喜欢对女生说"哎，你今晚有空吗？我们一起出来吃个饭吧""我们下午一起去逛街吧"等。让女生感觉你的目的就是邀约她，暴露了你的企图心和需求感，女生就会感到有压力，所以会拒绝你。

在邀约的过程中，我们真正要做的是随意、自然、不刻意。行就行，不行也没关系，这种自然的态度才是正确的。

例如，你想约女生唱歌，你可以说："我和朋友今天晚上唱歌，你一起过来玩吧""我今天晚上去唱歌，本来我只想一个人去唱的，但是我现在觉得应该把你带上，一起来吧，等下我去接你"。

你想约女生今晚到你家来，你可以说："我朋友送我一瓶红酒，是从法国带回来的。你上次不是说喜欢喝红酒而且对红酒有研究吗？今晚来我家，我们一起品尝一下。"这些例子就体现了自然、不刻意的感觉，而且略带一点强势，这样的语气会让女生着迷。

没有主见

为了表示对女生的尊重，男生经常会问"你想要去█，那个地方怎么样""我们要去吗""去那里好吗""你说了算，我尤█等。这类问题表现出你是个没有主见的男生。这恰巧是约会中女生█感觉最不舒服的地方。男生没有主见，说明他的内心没有安全感，而女生会被内心强大的男生吸引，哪怕这个女生是一个女汉子。

所以，当女生问"我们要去哪里啊""接下来去哪玩啊""接下来要干什么呀""我们吃什么啊"。你尽量不要回答"不知道""听你的"。这时候你一定要给出自己的意见，哪怕意见并不太正确，但也比完全没有意见要好得多。

教你一个绝招：请女生吃饭时，如果不知道如何点菜，你可以说："来，我们玩一个游戏，闭着眼睛盲点，翻到哪一页，手指指着哪一道菜就点哪道菜。"通过这种方式，把点菜的过程变成一种互动，女生就会觉得新奇有趣。

跟女生太亲密或太冷淡了

有些男生第一次和女生见面时，彼此还不太熟，会表现得拘谨和尴尬。当你拘谨尴尬时，女生也会有同感。这时候，你需要采用之前教的吸引学技能，克服这个毛病，不要让约会变得冷场了。

有些男生觉得，之前已经在网上聊得那么多了，亲密一些肯定是没问题的。见面之后对女生又搂又抱，语言上也非常放肆。这

离场的人，和女生聊电话

出你是一个有价值的男生。

有一些事情要忙，我先送你

天就先聊到这里吧""等下要

和朋友出去一趟，⋯⋯

肢体语言出错

和女生眼神交流时，你的眼睛闪躲了，这样会显得你没有安全感、不自信。女生看着你时，你也要看着她，这样才能"来电"。

有些男生的小动作不停：一会儿挠挠头，一会儿扯扯衣服，一会儿玩玩手机，总是东张西望，这都显示你没有安全感，或处于一种紧张的状态。

最明显的肢体语言错误是男生和女生说话的时候，身体会前倾，然后不断点头。你要克制这种身体前倾的欲望，这也是一种暴露需求感的行为。你身体前倾时，女生的身体就会后倾，形成一种你攻她守的状态，非常不利于你们的交往。

如果对方说话的声音太小，导致你听不清楚，那么你可以打趣她："你最近是不是唱歌唱太多了？声音这么小，我听不到呢。"

语言出错

在约会中为了加深彼此的了解，不可避免地会谈到过往经历、价值观和情感观等。在这样的谈话过程中，男生常犯的言语错误有哪些呢？

第一个是透露自己的感情史，评价前女友；

第二个是自曝隐私，把自己不好的习惯、癖好说出来了；

第三个是抱怨社会，显示出一种负能量；

第四个是探询对方的隐私，问女生很多细节问题。

本节开始的那位学员在和女生聊天时，谈的都是忌讳和容易犯错的话题。这样一个不懂社交的人，是很难交到女朋友的。

约会方式

其实要想约会少犯错，必要的约会设计是很有必要的。通常一次好的约会设计，可以选择以下两种约会方式。

群体型约会

在彼此都不了解的情况下，群体型约会方式可以增加女生的安全感，本来女生不敢和你出来，但如果是群体活动，也许她就会答应你的邀约了。

在群体型约会中，男生要考虑怎么突出自己的价值。例如，大家约着去打排球，但你又不擅长，那你就不要过多参与了。因为这对于你展示价值并没有太大的帮助。

在打排球活动的过程中，你可以找一些擅长的事情和女生一起做，例如，在休息期间给女生看手相、谈星座，和女生进行单独的互动，以增进双方的感情。

当然了，你也需要跟其他女生互动，不要只盯着你的心仪女生，从而暴露了内心的需求感。也许你和其他女生在互动的时候，反而可以引起那个女生的嫉妒心，以此来体现甚至增加自己的价值，这是预选价值的力量。

第一次约会尽量选择白天，这是基于安全方面的考虑，也可以降低女生拒绝你的可能性。

另外，第一次约会的时间尽量要控制在1小时以内。时间长了可能会让对方失去对你的思考和遐想的空间，而且如果你准备的话题不够多，在话题聊完以后很可能会出现冷场。

与女生的第一次约会就相当于一次"火力侦察"。因为女生不一定对你准备的话题都有兴趣。例如，你准备了6个话题，但她只对其中2个话题感兴趣，你就可以在跟对方聊完这2个话题之后主动提出离开，给女生留下一定的想象空间。

例如，你对女生说："我需要回公司处理一下员工的事情，我们下次再约。"那么对方就感觉到了你的价值，你也给对方留下了一个不错的印象，下一次再邀约的话，女生也会愿意和你出来。

你们的下一次约会就成功变成交往型约会了。

交往型约会

交往型约会，就是在你们有一定交往认识的基础上，如你已经通过群体型约会成功给女生留下了好印象之后进行的约会。那么这次约会的主题就是分享，例如，你们分享彼此知道的好去处、好餐厅，你带她去，她也带你去。

在交往型约会中要不断进行试探升级，可以进行一些肢体上的接触。你要展现自己的人格魅力，通过分享了解对方的情感价值观，加深彼此的了解，你要让女生感觉你懂她，具体方法参照前面打造吸引技能的内容。

约会三原则

展示高价值

要充分利用各种环境、各种条件来展现自己的价值，利用约会的主场做文章。

一个男生约了一个女生去他家附近打台球，结果却被对方秒杀了，因为这个女生的台球技术非常专业。台球店的老板看到后，便提议跟她对打，两人玩得很开心。这兄弟瞬间感觉自己从约会对象沦为了"电灯泡"，在伤心之余，他提出要先离开，女生和台球店老板开心地打着球，毫不在意地对他摆手说："走吧。"这就是没利用好约会场地的结果。

即使不是在自己的主场约会，也要尽可能熟悉场地，因地制宜地发挥，展现自己的价值，不打无准备之仗。

约一个女生去吃饭，你要事先了解餐厅的位置、菜品和服务员等。而不是到了目的地，却发现餐厅已经坐满了人。等了半个小时，终于等到了空位，你们昏昏欲睡地坐在位置上，一脸不耐烦的服务员在收拾桌上的一片狼藉……这时，你和她都会感觉不舒服。

反之，你想象一下这样的场景：如果你带女生去一家你熟悉的餐厅，才刚踏进店门，服务员就热情地迎你们进门，说老位置已经给你留好了，然后问你："是否依然点那三样？"然后你回答："我今天带了朋友过来，让我的朋友来点。"服务员一脸微笑地继续为你们服务……你想象一下，当女生发现服务员对你那么热情，她的心里会怎么想？她会觉得很有面子，因为她也享受到了服务员对你的尊敬。女生自然会被你的社交地位触动，从而认为你是一个不错的人，心生好感。平时逛街、吃饭时，你可以认识一些经常接触的服务员，等你约女生去这些场所时，你会发现这些服务人员回馈给你的信息是很有价值的。

给女生安全感

很多女生的第一次约会都喜欢带上自己的闺蜜，原因其实很简单，因为她和你不熟悉，没有安全感。什么是安全感？安全感就是自己对未来的准确判断和控制。

　　假如明天有一个考试，但你没做准备，心里一定没有安全感。但如果老师今天把考试内容告诉你了，你就会安心很多，因为你对明天的考试有了判断和控制。所以，在约会时一定要考虑到女生的安全感问题，从安全感出发，让女生觉得和你在一起安全、舒心。

给女生合理的推诿

　　例如，你的目的是约女生晚上来你家，如果直接说："今晚去我家吧。"女生会想："进展太快了，还是不要了，我不想做一个随便的女生。"但如果这么说："对了，你上次不是说你喜欢红酒吗？我的朋友从法国给我带了两瓶顶级红酒，我一直没舍得喝。晚上我在家，你来我家吧，我们一起品尝一下。"女生就有可能来。

　　不管后续发生什么，女生都会相信自己当时确实只是单纯地想去品尝红酒，这就给了女生一个合理的借口。这就是推诿，女生就会逆向思考，对自己的行为给予一个逆向的合理化解释。

　　合理的推诿很重要，这是基于情感观、价值观的一种语言。

作业

　　你们已经通过练习吸引技能吸引到女生了吧？现在就是你把她带出去约会的时间了！遵守文中所说的原则，不要犯这几种错误，马上开始一次美妙的约会吧！

ATTRACT ARTIS

IV

终极吸引家

对以前的事情不后悔，对现在的生活很满意，对未来有明确的规划，这就是自信。

格局：做 99% 的女生都无法拒绝的人

很多学员给我发邮件说："潇邦老师，我知道这个女生对我没兴趣，又把我当作备胎，我知道这样的情况对我很不利，但是我就是没有办法忘记她，控制不住想对她好，怎么办？"

这是一种很明显缺乏格局的表现。而男生应该有框架、有格局。

那到底什么是格局？所谓"格局"，就是通过语言和行为等手段，传递你内心的所思所想。你的内心想法决定了你是一个什么样的人。每个人生存在社会上，都会有各自不同的格局。想要成为一个有吸引力的男生，我们需要什么样的格局呢？

吸引家必备的 3 个格局

自信

自信是吸引女生的先决条件。如果一个女生和你在一起时能感受到你身上散发出来的自信，她就会觉得你很 MAN。

什么是自信？概括起来就一句话：**对以前的经历不后悔，对现在的状况很满意，对未来的计划很明确。**当你拥有自信后，你身边的异性，甚至你身边的所有人都会被你所吸引，愿意跟随你。

想象一下，假如你在一家公司工作，这家公司的经营状况不太好，员工每天都担心公司倒闭。而在这个时候，老板对员工说："就这样吧，我们能工作一天是一天，边走边看，可以的话就继续做下去，实在不行就撤吧！"在这样一家没有前途的公司，想必员工一有机会就会跳槽吧？

相反，如果老板表现得云淡风轻、自信满满、运筹帷幄，哪怕在危机面前仍能对员工说："公司会正常运转，现在的问题都是暂时的，转机必然会出现的，接下来，我们会有应对的解决方案：第一，……"

老板展现出这样一种能力的时候，员工是不是就安心多了？愿意尝试着去相信他，跟随他的步伐。这就是老板传递出来的自信态度与格局，起到了很好的凝聚作用，振奋了员工的士气，能让大家齐心协力，共渡难关。

在对"自信"框架有了认识后，我们来说说两性相处，道理是相通的。

当你和女生在一起时，每当遇到困难和矛盾，你都表现得畏首畏尾、没有信心，一副无能为力、怨天尤人的样子，甚至还向对方求助和抱怨。她会怎么想？她还有信心和你在一起吗？

所以，在两性相处中，你要表现得非常自信，遇事不慌不忙，做事十拿九稳。哪怕你的心里没有底，你也要表现出一种自信的姿态。让女生潜意识里觉得，现在的困难都是暂时的，只要和你在一起，未来一定会变得更加美好。

例如，在平时相处的过程中，无论你们遇到什么问题，你都会安慰她："没事，宝贝！这件事情不算什么，我们会一起渡过这个难关的。"并用自信的眼神给她传递力量，她就会有安全感。

这就是自信的格局。

被追求

男生要展现出一种"身边有很多女生追求我们"的格局，因为如果你表现出单身没人理的状态，女生就会觉得你的价值比较低。

举例说明，应聘时，你要表现出自己有非常多的类似经验、经历，才有可能拿下这个职位。当你拿下这个职位后，你才可能继续学习，提升自己相关的技能和能力。

其实追求女生也是一样的，很多男生在应聘时懂得怎么做，在恋爱这件事上反而不懂了。

你得表现出你有过恋爱经历，并且你身边并不缺乏喜欢你的女生。如果有女生问你："你有女朋友吗？"你回答："没有。"她再问你："你谈过恋爱吗？"你还是回答："没有。"她可能就再也不理你了。

相反，如果你回答："女朋友？我有啊，你为什么这么关心这个问题呢？你都问好几次了，是不是想追我呀？"

这时女生会说："讨厌！我才不是呢！"之后你们的互动就会非常融洽了。

你看，在你表现出被追逐的格局后，你的行为就不会因需求感而受到影响，你就不会太在乎她。这样，你就能够和对方进入公平的、自然的以及和谐互动的状态。

强势而可依靠

什么是可依靠？

可依靠就是有责任和能担当，面对困难不轻言放弃、主动承担责任的一种能力和形象。

假设你和女友面临困难，气氛沉重，你可以说："唉，这件事都是因为我。我来想办法解决，你不用担心。如果生气你就打我吧！来，你看是打我的屁股好呢，还是打我的手板好呢？"

当你用这么一种有担当的格局和她聊天，用幽默的语气来化解气氛的尴尬和沉重，就会把困难的局面调节成轻松的状态。

首先，你要表现出一种上进的姿态，不甘于现状，就算现状不佳，但你不甘于此。作为一个有吸引力的人，你的人生不应只有这一种状态，你的未来会更好。

其次，你可以平凡，但是绝不平庸。回顾你的生活，看看自己的时间是花在了琐碎的生活杂事上，还是花在努力提升自己上。如果是前者，那现在开始你就要下决心改变了，要通过不断的学习提升自己。

既然下定决心去做，你就需要不断尝试。你可以不成功，但你一定要去做，这就是上进心。

当你有这种进取的姿态，表现出有责任、能担当的行为，就构成了可依靠的格局。

什么是强势？

我们经常看到这种场景：男生和女生在一起时（尤其是前期），正处于追求阶段，所以不敢强势，哪怕对方做错了也不敢发脾气，男生会一直哄着女生。

为什么会这样？因为男生害怕失去女生，担心万一女生不高兴闹分手，就前功尽弃了。事实上，这些男生从一开始就处于弱势，但这是不利的，因为弱势是无法带来吸引的。

我们需要强势地引领对方，让对方觉得你是个很 MAN 的男生：具有强势的、引领的、领袖的特质。当你展现出这种特质时，女生就会被吸引。

一定要记住：你不是在追求女生，你是在吸引女生。只有当你强势了，你才能成为可依靠的对象。

以上就是我们在与女生交往中，甚至在社会交际中，应该体现出来的最重要的 3 种格局。

在社交关系中，你的姿态永远要比你的答案重要。格局就是姿态，你要体现出这种姿态。

格局测试

在交往的过程中，女生常常下意识地测试男生是否拥有这些格局。

给你"兴趣指标"，看你会不会贴上来

例如，"哎呀！我有点想你了""我觉得你很帅呀""我觉得你最近很棒啊""那件事你做得真好，我最喜欢这样的男生"等等。女生可能会用语言或者行为表现出对你的兴趣，然后看你会不会贴上来，也就是给你一个"诱饵"，看你会不会咬钩。如果你马上咬钩，你就中招了。

给你"无兴趣指标"，看你会不会紧张、会不会慌乱

例如，"你为什么会这么说？再这么说话，我就生气了""为什么要这么做？我很不喜欢男生这么做""你为什么要买这个""你为什么抽烟？我很讨厌男生抽烟""你为什么玩游戏"等。

没学过吸引学的男生就会说："哦，原来你不喜欢这样／原来你讨厌这种行为／原来讨厌你这个东西……那，我以后都不吃了／不买了／不做了，只要是你不喜欢的，我都不做。对不起，我真的喜欢你，不要离开我。"

如果你这么做，你吸引女生的可能就非常小了，因为很明显你已经被对方框住了，丢失了格局是很没有吸引力的行为。

男生和女生交往时的正确态度：我们在乎女生的感受，而不在意她的看法。

假设你和一个女生约会，穿得破破烂烂，身上还散发着一股运动完的汗臭味，这会让对方觉得很不舒服，那你应该向对方道歉，因为这样的行为是没有考虑对方感受的。

但是，如果她对你说她不喜欢你做这个，不喜欢你做那个，她觉得你这不好，那不好。你不用太过在意，有针对性地接受一些就可以了，因为这是她在测试你的格局，你应该用你的格局来引领她。

让你做事，指挥你，看你是否服从

这是在测试你是否强势、是否可依靠。

在课堂上，有学员问我："老师，如果她让我帮她搬家，我要不要去？"

我说："你这个问题问得好！首先，我们要弄清楚她让你去帮忙的目的，以及你和她是什么关系，还有她平时是不是那种习惯于让大家帮她做事的人？"

如果她不是一个让人帮忙成瘾的人，你可以帮她。但是注意这个"帮"是有技巧和原则的，不是简简单单地帮，你得掌握平衡。你要让她意识到：你可以帮她，但是你没有义务帮她。你要让她明白，她既不是你的女朋友，也不是你的亲人，所以她没有权力来指挥你。你要让她知道你的付出是有价值的。她得感谢你，甚至得回报你。

所以，你可以在搬家的过程中，让她付出一定的回报，你可以让她干一些力所能及的小事：你渴了，让她给你端杯水；你累了，就让她帮你擦汗、扇风。你再顺口来一句："哎呀，我们去吃个饭吧，饿死了！"然后再假装不知道，让她结账，你再回请她一次，这样一来二去，就能加深你们的感情。

切忌傻傻地帮人家搬完家直接走人，或者对方说"谢谢"，你说"不客气"，然后就没有然后了。

故意误解你、曲解你，让你解释

你有没有发现，很多女生都会无缘无故地发脾气、吃醋，让你解释。例如，发现你和其他女生聊得热火朝天，她就会阴阳怪气地说："哎哟！你和她关系不错啊。"她这么做，就是故意吃醋，让你解释，让你表达你很在乎她。如果你说："哎呀！没有，我们就是普通朋友，我跟她真没什么……"一旦你解释了，你就失去了你的格局。

在处理格局测试的过程中，我们还会涉及格局对撞的问题。你有你的格局，她有她的格局。当你明白自己应该保持格局时，你可能会拒绝她的格局测试，那她就有可能用她的格局来和你的格局对撞。如果你处理得不好，你们就有可能会"打架"。

例如，她说："帮我去对面那条街去买个东西。"

你想要保持自己的格局，于是说："我不去。"

她说："你去不去啊？不去我就生气了！"

你说："我不去，就是不去。"

然后，你们关系就僵了……这就是一种格局的对撞。

针对这种情况，我们有3种解决办法。

第一种：你把她的格局测试原路奉还

她说："你帮我去那条街买一个东西。"

你说："好的，我这就去买。哦！对了，我妹妹刚才叫我帮她买一个东西，待会儿就要用。商店就在隔壁街的那个商店里。你能帮我买一下吗？"

这就是原路奉还，她让你干什么事情，你就把这件事情通过另外一件事情、另外一个借口把它还回去，让她也为你付出。

第二种：无视她的格局对撞

她让你去隔壁街买东西，你可以完全无视这个要求，继续聊天。但是要注意，不要无视后就不理她，你一定要接好你们之前的话题，继续你们正在做的事情，这样，才不会让气氛变得尴尬。

她说："你去不去啊？不去我就生气了！"

你说："……所以啊，女生就是那样，喜欢欺负男生……"

她说："哈哈哈，赶紧，帮我到那条街买个××吧。"

你说："××？你还要买啊？天啊，我无法想象，你看，就和那天小明跟我说的一样，那天他说……"

她说："哈哈哈，不会吧，他这么搞笑！"

你说："对啊对啊，还有一天，他……"

第三种：曲解她的意思并推向荒谬

她说："你帮我到那条街买一个东西吧。"

你说："嗯？你最近是不是怀孕了？"

她说："为什么这么说？"

你说："我觉得这样的女生肯定怀孕了。只有怀孕了的女生才不愿走那么远。哈哈……没关系的，怀孕最正常的，我会帮你保守秘密的……"

她作势要打你："我才没有呢。讨厌！你故意的。"

你说："那行吧，我陪你去。毕竟我是个善良的人，帮助孕妇是美德。"

这就是曲解她的意思并推向荒谬。

其实发生"格局对撞"的根本原因是对方也在试图控制你们之间的关系。她不断地测试你，冲击你的格局，试探你的底线。这样她就能在你们交往期间获得更多的主动，掌控你们之间的关系。

有些男生和女生相处时间久了，会显得越来越弱势、越来越没有地位。原因就是在这种格局的对撞后，男生没有抵抗住女生的冲击，步步溃败，俯首称臣。

其实讲到这里，你应该已经明白，格局就是你本人内心活动的外在表现：你内心强大，你就强大；你内心弱小，你就弱小。

当你把自己的格局打造好、保持好，处理好各种格局之间的问题，你就能够拥有其他男生所不能拥有的"吸引力"。

作业

1. 这部分内容需要你多加思考体会，反复看几次，你会收获更多。

2. 尝试接近 3 个陌生人，不需要什么开场白，不需要什么准备，直接到对方面前，说一声"你好"，然后根据当下的情景，想到什么就说什么。

她的心上人是一个盖世英雄

不夸张地说，雄性领袖对女性具有致命的吸引力。所谓雄性领袖，顾名思义，就是一个团队里的领袖、一群人里的灵魂人物。

设想一下，如果那个人是你，你的生活会是什么样的状态？

事实上，"雄性领袖"不是天生的，它可以通过后天训练培养出来。就像我前面教你们的吸引技能一样，是一步步通过练习而达到的状态。

接下来，我将教你们如何成为"雄性领袖"。

首先，什么样的状态才能称之为"雄性领袖"？也就是说，我们要如何表现，才能让女生觉得我们是"雄性领袖"？

雄性领袖有两种表现：外在表现和内在表现。

雄性领袖的外在表现

拥有社交认证

什么是社交认证？社交认证是社交场合中，周围人对你表现出的一种身份认同。

如果你在一个社交场合出现时，大家都主动和你打招呼。现场的其他人看见了，就会产生这样的想法：这个人的人缘一定特别好、特别有身份、特别牛，不然大家怎么都和他打招呼呢？

这就是"社交认证"。

如果你能做到让身边的人对你"前呼后拥"，效果就更佳了。

但是，当你出现在一个新场所时，肯定是没有认证的。因为我们和周围人不熟甚至不认识。

因此，在新环境中，我们要做的第一件事情就是**营造自己的社交认证**。

例如，你去一个不错的餐厅，每一次都主动地和服务员、经理聊天，经过数次后，这个餐厅的人都认识你了。下次，当你把一个女生约到这家餐厅，从进门的那一刻起，她就会看到几乎所有服务员都对你微笑并释放热情的信号，那她就能感觉到你在这个场所里拥有的强烈的社交认证。

这样，在这个场所里升级你们的关系，就会变得简单很多了。

展现出对团队的控制力

在一个社交场所里，只有社交认证是不够的。因为哪怕在场很多人都给你认证，你也不一定能发挥出太多的价值。因为这些给你社交认证的人，不是你的人，他们不会给你深度的服从，可能只会打打招呼、点头微笑而已。

你需要有一个团队，一个对你深度服从的团队。当你拥有团队时，你的气场很明显会和周围人不同。你会自然而然地散发出一种领袖气质。而这种气质体现在你对团队的掌控力上。

首先，你要带领这个团队

假设你们在玩一个游戏，玩的时间有些长，大家都觉得有点儿无聊，但是没有人提出来。这个时候，你站出来说："这个游戏玩的时间有些长了，我们玩'谁是卧底'吧！"如果大家都听从你的意见，改玩另外一个游戏，这就是带领行为。假如有人想玩别的，你也能协调大家一致，就是团队控制力的表现。

其次，你要指挥这个团队

例如，你可以让你身边的朋友到门口帮你买一包烟，让朋友从隔壁房间给你倒一杯水，让朋友帮你拿一下东西，让朋友帮你处理比较复杂的东西……

这样的能力就是"指挥"能力。如果在指挥的过程中，对方不理你，那证明你的指挥越级了，你需要退后。这和服从测试是一样的，你在和对方还不熟的时候，就需要一步一步引导。先从简单的服从指挥开始，例如，先让对方给你端杯水、递个东西。等对方服从后，你就可以升级指挥的程度。

最后，有奖有罚

再回到上面的例子，如果你让对方去买包烟，但是他不去。没有关系，你可以换一个人。你请他帮你买一包 20 元的烟，给他 50 元，然后说剩下的钱让他自己拿着。等他买回来后，拍拍他的肩膀，夸他非常不错，表示下次聚会一定会带上他。这就是一种奖赏。

进行服从性测试时，如果对方服从了你的指挥，你就应该奖励对方，如口头赞扬或拍拍对方的手臂表示亲切，或者给予回报。

当对方不服从你的指挥时，要给予惩罚。当然这个惩罚不能太明显，不然很容易让现场气氛尴尬，最常用的惩罚是不再对他说过多的话。

对整体负责

什么是对整体负责呢？其实很简单，就是你要表现出"护犊子"的行为：关心自己团队的成员，关心他们的一切，然后通过适当的方式表现出来。

你要塑造一个雄性领袖"爱人保护者"的身份。例如，你组织了一个活动，你要负责规划这个活动：时间的安排、人员的调度、席位的预订、安全的考虑等。

当活动进行到尾声时，大家都喝醉了，其实你也喝得差不多了，但是你还坚持把这些被你邀请来的朋友照顾得很好，帮他们叫车，送他们出门，让他们平安地回到家。

如果每一次，你都能做到关心身边的朋友，那他们就会围绕着你、认可你，愿意与你玩。和你在一起，他们感到安心、舒心、放心。这就是雄性领袖应展现出的特质。

雄性领袖的内在表现

一个人最核心的本质，在于他的内在表现。内在表现就是这个人的性格、思维方式、拥有的技能和价值。

当你认识到了自己的内在表现时，你才能更好地把它们释放出来，变成你的外在表现。

从容地面对任何突发事件

这是一种强大而淡定的心态：泰山崩于前而面不改色，乃成大事者。遇到事情后，身边的人都慌慌张张，你反而淡定又从容，这就是领袖的风度。

在我念大学时的一个春节，我们全家一起回老家过年，买不到火车票就改乘大巴回家。

深夜 1 点左右，高速路上发生了很严重的追尾事故。十几辆车连环追尾，场面十分惨烈。不幸中的万幸，我们所坐的车是连环撞中最后一辆。当时高速公路被堵住了，堵成一条长龙。事故发生两个小时后，我们的车被拉到收费站的应急带。

第二天就是除夕，大家都急着回家过年，但这次突发事故让大家都不知道该怎么做。

这时，我老爸站出来说："大家不要着急，这件事交警会处理。我们可以打电话给汽运站，让他们再派一辆车过来，把没受伤、没损失的乘客先载到指定地点，先回家过年。受伤的朋友也不要着急，救护车也会很快送你们去医院的。"

大家表示同意后，由老爸带头，开始给汽运站打电话，让他们派车过来。很快救护车和大巴都到了，混乱的场面很快得到了控制。

这种临危不乱的风范，就是雄性领袖的从容。

不刻意而为

有些学员在学习雄性领袖的技能后，很想在朋友中当领袖，可是他还没有完全领悟，也并不具备当老大的条件。例如，心胸不够宽广，没有与人共患难的思想觉悟。因此，身边的朋友就觉得他怪怪的，纷纷远离他。这就是刻意的恶果。

你约女生吃饭，饭桌上就你们两人。你拿着菜单一顿狂点后，她说："不要点那么多，就我们两个人而已。"你非装大度、装"财富价值"高，硬是点了一大桌菜。女生就会觉得你特别做作、浮夸。

其实要做到"不刻意"，就是在事情的发展过程中，做到顺其自然，不追求结果。

拥有被人羡慕的资本

这些资本可以是你的职业、特长等。例如，你会玩很高超的魔术，你台球打得很好，你长得特别帅，你聊天特别有趣，你唱歌很不错，你会跳街舞，等等。总之，你要有拿得出手的特长。找到这些，想办法把它们展示出来。平时你和人沟通交流时要主动将它们引导到你擅长的领域来。

如果你聊天特别有趣，能把我教你的各种聊天方法运用自如，那就尽量不要在酒吧约会。因为酒吧非常吵，对方没办法听清你说的话。你要去咖啡厅，在一个适合聊天的地方发挥你的特长。

我有一位朋友开了一家跆拳道馆，他在手机里存了很多他平时训练、比赛的照片。照片非常帅，完美展现了他的男性魅力。他会在聊天过程中，有意无意地把话题引到运动方面，再制造机会，把手机里的照片秀给对方看，之后向对方发出邀约，把她带到跆拳道馆。在跆拳道馆看到他细心教导学生的画面时，女生就会觉得他特别负责，特别有爱心。

在跆拳道馆，大家都尊称他为"师傅"，都很崇拜他，这就是对他身份的认证，在那个环境中，他就是一个雄性领袖，自然能吸引女生。

反过来，如果他没带女生去他的工作场所，而是带她逛街、带她买衣服、带她去游乐场，你觉得他会这么顺利地吸引女生吗？

珍惜时间

作为一个雄性领袖，你的时间非常有价值，不能把所有精力都耗费在恋爱上。

例如，你和女生聊天聊到没有话题时，你就要先暂停。你可以说："我们今天就聊到这儿，虽然我很喜欢和你聊天，但是我现在还得去公司处理一些事情，我们明天再见。"这就是高价值的离场，让对方觉得你不是随便挥霍时间的人。

在这一点上，大部分男生都会犯错，他们和异性约会时。如果对方问他什么时候方便，他们立即说："我什么时间都行，你什么时候有空打电话给我就好。"

对方很有可能会说："哦。"然后就没有下文了。

"什么时候都有时间"是一种什么状态？那是一个闲人才有的状态。你觉得优质的女性会喜欢"闲人"吗？

你应该让她知道，你的时间不是随随便便就可以挥霍的。你有自己的生活和工作。你要让她感觉你很忙，你只能抽空陪她。

所以，你在回答她时，应该这么说："我明天没空，周末也有约了，我星期四尽量抽时间出来。"

明白了吗？不要问女生有没有时间，你先要说出你什么时候有空，让她来迁就你。假如对方刚好星期四没空，她就会另说一个时间。她说："哎呀，星期四我没空啊，要不星期五吧？"

你可以说："星期五啊，我刚好要陪一个重要的客户吃饭。要不这样，我吃完就抽空来陪你。"

这番话说出来后，就会让对方觉得，你是一个可以迁就她的人，而不是那个随时为她待命的人。

你要让她觉得你的时间是有价值的，这就是你的吸引力。

重建社交圈

社交圈，即我们与朋友、家人、同事、同学等组合成的一个圈子。

在人际交往中，我们每个人都会有属于自己的社交圈。这些社交圈有大有小，有强有弱，有深有浅。在我们熟知的这些圈子里，我们首先要了解：这个圈子都有什么样的人？有什么类型的女性？

关于怎样在不同场合吸引女性这个话题，我在"搭讪"部分讲了很多。但搭讪技巧运用的场所，绝大多数都是我们不熟悉的场合，如街头、酒吧、KTV 等，这些地方虽然能够结识与吸引异性，但是有一个问题：无法确保交往对象的质量。

因为你不了解自己在街头或酒吧遇到的姑娘，你不知道他们真实的样子是什么样的，所以搭讪行为是有一定风险的。

但在社交圈吸引异性，就与普通搭讪不同。社交圈就像一块肥沃的土地，我们在土地上撒下种子，只要用心经营，就会有收获。

玩转社交圈的方式

想要玩转社交圈，有两种方式：

第一，你自己组建一个圈子，把大家都集中到你的圈子里；

第二，你进入别人的圈子，加入别人的团队，利用别人的资源。

自己组建圈子比较耗时辛苦，但是一旦组建起来，你的社交圈就会比较稳定且容易控制。

如果选择加入别人的圈子，比较容易但不稳定。

我们在施展社交圈吸引的时候，要双轨同步：既要加入别人的圈子，也要着手组建自己的圈子。

社交圈常见角色

在进入别人的圈子之前，你需要先认识几个角色，第一个角色是"社交圈枢纽"。

社交圈枢纽

所谓"社交圈枢纽"，就是人际关系特别广的人，他们朋友多，在哪里都能玩得开。只要我们能找到这个枢纽角色，认识他，以后就可以通过他认识更多的人。

如果你的身边有那么几个"社交圈枢纽"朋友，一定不要放过和他们建立感情的机会，这样你的社交圈游戏将会变得非常简单。

当你想追求某一类女生时，先想想她有什么样的社交圈？她常出现在什么地方？平常喜欢和哪些人接触？你要做的就是找到她社交圈里的枢纽角色，然后由他把你引进圈子。

价值输出者

这一类人的输出价值主要表现在金钱方面，他们是主动买单者。他们会在坐车时抢着付车费，会在吃饭时抢付饭钱。这类人比较好相处，他们喜欢通过花钱来获得人们的认同，取得一定的地位。

社交蛀虫

还有一类人是社交蛀虫，这一类人既不愿意为圈子输出价值，还喜欢从圈子索取价值，这种人最不受欢迎。每个圈子都会有这种人，遇到这种人，我们尽量别搭理，甚至要想办法摆脱他。

不管你是想建立自己的社交圈，还是想进入别人的社交圈，都要想一想，你能为这个圈子创造什么价值？因为只有你有能力为别人创造价值时，别人才愿意接受你或者跟随你。

注意，进入一个新圈子时，不能太高调。如果你刚进入一个圈子，就把优秀女性的注意力吸引到自己身上，这个圈子的领袖会非常不舒服。所以，哪怕你能力再强，在进入一个圈子时务必低调。只有低调才能够生存下去。

打破友谊区

在社交圈吸引女生有一个难点，就是你会很容易被异性划入友谊区，收到"好人卡"。有些女生会觉得你人不错，就让你做她哥哥或者好朋友。她可能对你有一些好感，但并没有被你持续吸引，也可能她对你没有好感，只是不反感而已。

其实短暂地进入友谊区是没有关系的，你既然选择通过社交圈这个方式吸引对方，就很有可能会陷入友谊区。但如果你长期陷入友谊区，她就会对你有惯性印象，这时你再对她进行挑逗或诱惑，她就会觉得非常别扭。所以我们一定要制订打破友谊区的计划。

一般来说，男生对一个女生有好感后，会选择和她做朋友，等时机成熟后，再进行表白。可惜的是，选择用表白的方式打破和谐的友谊区，企图直接获得对方的爱，这种方法成功的可能性很低，因为错过了吸引的步骤。

打破友谊区的正确方法是什么呢？

时间是很重要的，我们不要在友谊区待太长时间。在进入友谊区一定时间后，我们就要**果断打破友谊区，吸引对方，方法就是打破舒适感**。

我们为什么要打破舒适感呢？因为在交往前期，如果她觉得你既可爱又有趣，就说明她开始被你吸引了，但这种感觉仅仅停留在朋友阶段，这个时候，我们就需要打破舒适感，以免进入友谊区。

具体如何操作？例如，在某个场合，你发现她在看你，就问她："你为什么看着我，难道你的眼睛会透视？"然后紧张地用双手把胸部挡住。她会觉得很好笑，然后用粉拳打你。这时你说："好吧，既然你那么想看，就来吧！"说完把双手张开，做出视死如归的表情。在这种情况下，女生就会觉得既好笑又无奈。这是调侃女生的一个好方法。

再举个例子，如果你和她一起吃饭，发现人太多没位置了。你可以说："看来你的饭量真的很大，老板都怕你了，弄了这么多人来吃饭，下次都不敢和你来了。"

在生活日常中，会有非常多类似的情况，你只要把错误适当地往对方身上引或开个小玩笑，就会有意想不到的效果。

另一种打破舒适感的方法就是预选刺激。

如果你身边有很多女性围着你转，你的目标对象也会对你有好感。所以，你要主动展现你的预选能量，打破双方的舒适感。例如，在朋友圈发一些你和其他女生的合照。

利用社交圈追求女生

当你在路上遇到一个喜欢的女生，如果不赶紧出手，可能她眨眼就不见了。但社交圈不一样，只要她在这个社交圈里，她将会较长一段时间不离开这个圈子。

侧面展示

利用社交圈追求异性的一个好处就是你不会一个人孤军作战。你可以利用你的团队达到目的，帮助你侧面展示你的高价值。例如，你买了一辆车，你想向女生展示，但直接告诉她，就像在显摆，会留下不好的印象。如果此时你的朋友在她面前说一句："哥，你前两天不是刚买了辆宝马 X6 吗，性能怎么样？"你说："还行啊，改天给你开一下。"

通过侧面展示的方式，让对方了解你的信息，你在她面前就会显得很有价值。在接下来的互动环节，你就能占据很大的优势。

提问

接下来，我们可以通过提问推进双方的关系。记住，"查户口"类的问题都不是好问题。

如果她告诉你今天她去书店买了一本《达·芬奇密码》，你回答："哦。"不知道接下去该说什么，只好开始说自己的事。这时，你就错过了一个很好的机会，一个让女生深深爱上你的机会。

这时候你应该很好地提出问题，例如："你为什么想看《达·芬奇密码》这本书？"或者"你怎么会对《达·芬奇密码》

这本书感兴趣？"这时候，她可能就会很自然地告诉你为什么她要看这本书。

这样的提问会为你们的交流提供更多发散性的话题，同时也打开了你了解她的一扇窗户。

这些信息就好比战争中的情报。情报让你更了解她，同时她也会觉得你很理解她（是的，她会产生这样的感觉，即使你什么也没说）。

在战术上，你拿到了延续话题的材料。这个时候你就可以用思维风暴聊天法的关键词技巧，展开话题。

还有一种方法，就是继续问。这时候还可以考虑"从小"这个信息，你可以问："从小？那你还记得当时怎么会一下子对这个产生兴趣的吗？比如我从小喜欢功夫，就是因为小时候打不过别人。"这个问题又是一个非常有威力的问题。现在给你 1 分钟时间思考，你能不能想出为什么这个问题对吸引女生有帮助，它的威力在哪里？

如果你能想出来的话，说明你已经明白这个技巧如何运作了。恭喜你，获得了新的武器！

没想出来也没关系，我来告诉你。

首先，你采用了时间错觉法，用问题引出对方小时候的事，她对你述说她小时候的事，她和你的信任度就会一下子飙升。因为在潜意识里，她的大脑情绪区域无法区分现在和过去，大脑会把她小

时候的事和现在向你述说的画面联系到一起。这样，她就会产生
一种错觉，你就像她小时候亲密无间的玩伴，值得信任，甚至会
对你产生熟悉感。但实际上，你们不过是认识不到两个小时的陌
生人。

其次，这个问题接着上面的问题，使你能够对她有更深入的了
解。这样你就会从她那里获取更多的话题材料并拉近你们的关系。

最后，女生很容易回答这类问题。这种引导性问题帮你把她
的思绪带回那段美好的童年。她也会在不知不觉中向你吐露心声。

在这样的互动中，两个陌生人一下子拉近了心灵距离。彼此都
会觉得对方很亲近，慢慢地就产生爱和吸引。

聆听

接下来，随着交往的深入，如果女生向你诉苦，遇到困难向你
倾诉，你要静静地聆听，然后带领她走出情绪的困境。千万不要
主动提建议，或者纠正她错误的想法。

操作方式：

首先，你要先和她产生情绪共鸣。这里有个万能填空公式："这
一定感觉很_____。"你可以填"难过""沮丧""窝囊"，
当然还有个词你何时都能用："这一定感觉很糟糕。"

有一次，我和一个女生去吃饭。我们原本聊得很开心，气氛很
好。但她突然叹气，犹豫半天说："我现在真的觉得很不好受。"

　　我先是懵了一下，说："估计是这冻豆腐，我刚才肚子也有点不舒服。"

　　她微微笑了一下："什么呀，我是说我最近觉得挺迷茫的。现在我做的人力资源工作好像没什么未来，我又不知道该干什么好，心里总不踏实。"

　　确定她是在向我吐露心声后，我就静静地看着她的眼睛，认真地听她讲。她接着说："我最近每天上班特别迷茫，很怕突然哪天醒来，发现自己已经老了，我想想就怕。"

　　我说："我也是，小时候踌躇满志，期盼长大了要干这个、干那个。现在长大了，反而害怕，怕那份年轻的激情和梦想慢慢就没了，人就老了。"听我说完后，她身体不自觉地前倾，越坐越近，眼睛也直直地看着我，我看得出，她把我当作她的知己，其实，我只是用到了思维风暴聊天的第三层次而已。

　　仅仅产生共鸣，还是不够的。

　　接下来，我需要改变她的情绪。我不希望她将来把迷茫、担忧、不踏实的感觉和我联系在一起。我希望她把快乐、高兴、美好、兴奋等好的情绪和我联系在一起。

　　我说："我觉得你挺能干的。你是我见过的女性中第三能干的人。一个女生独自在上海念大学，毕业还找到高薪酬的好工作，而且你年轻又漂亮，不知道有多少人羡慕你。有很多女生的年龄和你差不多，大学毕业就是失业。如果你都担忧，她们怎么办？

况且，你还有我这样的人陪你，你的未来一定会很灿烂的。"这段话彻底地改变了她的情绪，使她从之前的忧郁转向自信和希望，觉得自己的境况并不太糟。

另外，最关键的一点就是，我为了让她转换抑郁情绪，设下了两个"圈套"等她来"钻"。这样，她自己就把话题转掉了。

第一个"圈套"是"第三能干的女生"，听到这里，她一定会想："谁是你见过的第一、第二能干的女生呢？"这样话题就转掉了。

因为我的答案："第一个能干的人是我妈。"我接下来会给她讲一个关于我妈的故事，其中还会有我的出现，所以就直接进入了时间错觉法。把她带入我的世界，让她感觉从小和我一起长大。

第二个"圈套"就是"你还有我这样的人陪你"。这句话是把之前的认真凝重带到一个打情骂俏的轻松气氛中，如果女孩当时准备好了，她就会接住这个话题。我们就可以开开玩笑，话题和气氛就都"活"了。

最后她"钻进"的是第一个"圈套"："是呀！有道理，其实我根本不用担心……哈哈……对了，你刚才说我是你见过的第三能干的女生，那第一、第二是谁？"

我吃完嘴里的那块冻豆腐，缓缓抬起头，看着她好奇的眼睛，说："我妈。"她笑了……

吸引家创始人
潇邦（刘一夫）

擅长领域：社交突破、吸引力打造、情感挽回

乌克兰首都国立师范大学研究生、中国恋爱心理学专家

中国知名情感导师，情感分析专家，喜马拉雅FM、荔枝FM特邀情感导师。著有情感类作品《吸引家：快速追到心仪女生》等。出版有影视节目作品《恋爱啪啦秀》《电影恋爱学堂》《爱情闺蜜》等

高级督导
慧诚（刁慧诚）

擅长领域：心态建设、快速吸引、关系升级、恋爱/婚姻挽回

资深情感导师、国家二级心理咨询师

擅长街搭，快速吸引，曾创下日收号破百的记录；独创"睡眠三部曲"理论，解决众多学员关系无法推进升级的问题；对情感挽回有较深的研究，形成了一套完整的挽回咨询体系；善于开导及激励学员，帮助学员进行心态建设，重塑正确的恋爱观

高级情感咨询师
小美（郑美铃）

擅长领域：形象建设、恋爱脱单、长期关系维护

资深情感导师

擅长网络形象展示，能为学员提供大量的案例展示和指导；深谙两性心理，擅长从不同层面深度剖析网络社交的方法和策略；擅长从女性角度引导和分析问题，让男人更懂女人；擅长长期关系维护，引导对方为自己投资

高级情感咨询师
小宝（郭小宝）

擅长领域：自我提升、心态建设、分手挽回、婚姻咨询

国家婚姻家庭咨询师、专业精神分析师

擅长心态引导及建设，突破自我局限；擅长运用进化心理学，结合原生家庭、人际互动模式等相关因素，进行逻辑心理分析，找出问题的核心所在，并结合实际情况给出切实可行的解决方案

作者简介

萧邦，中国恋爱心理学专家，吸引家创始人、潇邦恋爱学堂创始人、吸引学创始人，忠情局创始人。拥有 5 万名学员及 110 万粉丝，成功帮助 23180 多个学员挽回爱情。

出版影视节目作品《恋爱啪啦秀》《电影恋爱学堂》《爱情闺蜜》《潇邦恋爱学堂》，曾多次被到新浪、搜狐、网易、中国新闻网等知名媒体报道。

公司简介

2010 年，潇邦第一次在广州本地组织恋爱技巧分享沙龙，分享两性恋爱约会技巧。

2011 年，吸引家工作室成立，潇邦有了自己新的伙伴，正式开始在广州地区举办线下魅力培训课程。

2014 年，在深圳成立了深圳吸引家文化发展有限公司，开始规模化运营，潇邦在情感咨询领域渐渐走出了一条路。

2015 年，公司从深圳搬迁到广州并成立了新公司——广州吸引家教育发展有限公司，真正成为一家专业从事情感教育和咨询的企业。具体业务囊括脱单指导、婚恋指导、情感挽回、长期关系维护等。通过课程或咨询服务，提高人们的综合情商，从根源上解决人们的婚恋情感问题。

2017 年 6 月，公司全力发展婚恋品牌"忠情局"，公司人员规模已达 500 人。

广州吸引家教育科技有限公司旗下有多个品牌,潇邦恋爱学堂、忠情局、吸引家联盟、爱情闺蜜等。目前，吸引家已有粉丝 180 多万，吸引家联盟已有付费会员 32500 多名，累计学员 5 万多名。吸引家的专业导师团队也在不断扩大，目前已有上百人的专业情感咨询师团队，还有很多有能力的专业的情感咨询师陆续加入，未来将能帮助更多在情感上有需求的人们。

吸引家秉承的宗旨是"授人以鱼不如授人以渔"，要从根源上帮助客户解决问题。潇邦说："幸福是一种能力，吸引也是一种能力，更是通向幸福的阶梯。"吸引家通过帮助每一位学员打造他们的吸引力，收获属于他们的爱情，成就幸福人生！

吸引家，做你身边的情感专家。幸福是你的，我只是在助推。